普通高等院校船舶与海洋工程规划教材

海洋平台气隙响应和波浪砰击载荷预报

霍发力　赵银芝　著

U0200410

哈尔滨工程大学出版社
Harbin Engineering University Press

内 容 简 介

本书主要研究典型半潜式海洋平台的气隙响应和波浪砰击压力。首先，介绍了数值模拟过程中使用的势流理论和计算流体力学理论，在此基础上通过数值模拟方法分别开展了半潜式平台在自存工况和拖航工况下的气隙响应与波浪砰击载荷预报研究，分析了不同环境参数对平台表面砰击压力的敏感性和畸形波作用下半潜式平台表面波浪砰击压力的分布特性。其次，通过相似性准则，进行了半潜式海洋平台水池模型试验，同样的，对平台的气隙响应和平台表面的砰击压力特性展开研究，并将试验结果与数值模拟结果进行对比，验证了数值模拟方法的可靠性和准确性。

本书所提出的方法和结论希望对海洋平台领域相关研究人员、工程技术人员开展海洋平台气隙响应与波浪砰击载荷预报研究工作提供有益的指导及帮助。本书还可作为高等学校相关专业的教材。

图书在版编目(CIP)数据

海洋平台气隙响应和波浪砰击载荷预报/霍发力，赵银芝著.—哈尔滨：哈尔滨工程大学出版社，2022.8
ISBN 978 - 7 - 5661 - 3605 - 3

Ⅰ.①海… Ⅱ.①霍… ②赵… Ⅲ.①海上平台 - 气隙 - 响应②海上平台 - 波浪载荷 - 海洋水文预报 Ⅳ.①TE951

中国版本图书馆 CIP 数据核字(2022)第 156782 号

海洋平台气隙响应和波浪砰击载荷预报

HAIYANG PINGTAI QIXI XIANGYING HE BOLANG PENGJI ZAIHE YUBAO

选题策划	史大伟　薛　力
责任编辑	章　蕾
封面设计	李海波

出版发行	哈尔滨工程大学出版社
社　　址	哈尔滨市南岗区南通大街 145 号
邮政编码	150001
发行电话	0451 - 82519328
传　　真	0451 - 82519699
经　　销	新华书店
印　　刷	北京中石油彩色印刷有限责任公司
开　　本	787 mm × 1 092 mm　1/16
印　　张	10.25
字　　数	270 千字
版　　次	2022 年 8 月第 1 版
印　　次	2022 年 8 月第 1 次印刷
定　　价	59.00 元

http://www.hrbeupress.com
E-mail:heupress@ hrbeu.edu.cn

前　　言

21 世纪是海洋资源开发与利用的新世纪。中国陆上石油资源严重不足,年探明可采储量已无法满足国内所需。中国约 300 万平方千米的管辖海域是环太平洋油气带主要分布区之一,渤海、黄海、东海和南海北部大陆架海域及南海海域蕴藏着丰富的石油、天然气资源。我国南海是世界著名的四大海洋油气资源区之一,含油气构造 200 多个,油气田 180 个。经初步估计,整个南海的油气资源储量在 230 亿~300 亿吨,约占中国油气总资源量的 1/3,有"第二个波斯湾"之称。以南海"流花 29 – 1 – 1"井为例,其日产天然气 161.31 万立方米,深海区和浅海区单井产量的比约为 159∶1。我国深海油气勘探和开发技术起步较晚,南海周边越南、菲律宾等国家已在南海海域开始掠夺性开发。鉴于目前国内外石油资源的严峻形势及内陆石油的开发现状,中国油气资源的勘探开发由陆地转向海洋,尤其是深海开发已成为必然趋势。同时,深海开发也是高回报的领域,深海区域不仅油气储量占未来可供开发油气储量的 90%,而且深海油气勘探成功率也非常高。目前我国南海深水油气资源勘探开发的关键在于解决深海油气勘探开发的装备及技术,打破国外对于深海油气开发重要装备核心技术的垄断,实现自我研发,工艺上具备自主深水油气勘探开发能力,突破深水钻井及采油等关键工艺技术上的瓶颈,发展形成具有自主知识产权、中国特色的深海油气勘探开发技术体系,培养我国深水油气勘探开发人才体系,实现我国深海勘探开发技术的跨越式发展。本书针对深海领域油气勘探开发中的关键装备——深水半潜式平台,开展相关平台运动性能分析的前沿技术研究,为我国深海勘探开发技术发展提供支撑。

本书共 8 章。第 1 章对海洋平台的分类及各自特点进行了介绍,对半潜式平台气隙响应、波浪砰击和畸形波的研究进展及其在海洋平台中的应用做了较为全面的论述;第 2 章介绍了势流理论与数值方法,包括海洋浮式结构物环境载荷分析、频域分析及时域分析;第 3 章介绍了计算流体力学理论与数值方法,包括控制方程与湍流模型、自由液面理论、网格划分及边界条件处理;第 4 章介绍了典型半潜式平台数值模型修正与水动力性能分析,包括水动力性能分析环境条件、半潜式平台运动响应分析方法及半潜式平台运动响应数值分析算例等;第 5 章介绍了典型半潜式平台气隙响应分析,包括风、浪、流等环境载荷及其敏感性分析;第 6 章介绍了典型半潜式平台波浪砰击载荷分析,包括数值模拟方法、自存工况下平台砰击载荷影响敏感性分析、拖航工况下撑杆波浪砰击参数敏感性分析;第 7 章介绍了典型半潜式平台畸形波作用下波浪砰击载荷分析,包括畸形波数值水池模拟方法、拖航工况下半潜式平台畸形波作用下的砰击压力分布、自存工况平台砰击载荷预报分析;第 8 章介绍了半潜式平台砰击压力试验,包括自存工况下半潜式平台立柱及甲板砰击压力试验和拖航工况下半潜式平台撑杆砰击试验。

感谢姚智、安康在攻读硕士学位期间参加本书相关内容课题所做的研究工作!感谢杨记川、张井喜、朱晨阳在本书排版、内容、图片公式处理等方面所做的工作!感谢江苏科技大学领导和同事们对本书写作的大力支持与帮助!

由于著者水平和学识有限,书中疏漏、欠妥与谬误之处在所难免,真诚希望读者、专家和同行不吝赐教。

著 者

2022 年 4 月

目　　录

第1章 绪 论

1.1 深海油气开发平台概述

随着作业水深不断增加,传统的移动平台,其运动性能和定位难以满足深水作业的要求。而固定式平台,因其自重和工程造价随水深的变化而大幅增加,也不能适应深海环境,所以必须开发新型的深水浮式结构。最近30年,适应深水条件的多种新型钻井平台和生产系统不断涌现(图1.1),其显著特点是具有特殊的结构形式,工程造价较低,结构安全性良好。目前新型浮式海洋平台主要有浮式生产储油系统(Floating Production Storage and Off-loading System,FPSO)、张力腿平台(Tension Leg Platform)、立柱式平台(Spar Platform)和半潜式平台(Semi-submersible Platform)等。

图1.1 各类海洋平台

半潜式平台,相对于其他浮式平台,由于具有几何形式上的优势和在波浪环境下良好的运动性能、平台相对总投资少、具有更大的甲板空间与可变载荷、无须海上安装,以及全天候的工作能力和自存能力强等优点,更能适应在深水区域的海上作业。近几年,随着油气资源向超深水海域发展,半潜式平台的发展也进入了新时期。半潜式平台由数个竖直柱形浮体(立柱)与水平浮体(下浮体)联合而成,以支撑上部模块,并有多根系泊缆绳固定于海底,如图1.2和图1.3所示(图片来源于百度图库)。下浮体是没入水中的船形浮箱,提供的浮力支撑平台的重力。立柱的水线面面积较小,所以在遭遇风浪时平台的横摇和纵摇运动较小,但垂荡运动较大。半潜式平台一般依靠锚泊系统定位,通常由辐射状布置的8根及以上的锚组成,悬链线状的锚链将锚和平台固接。对于定位要求较高的半潜式钻井平台,通常还装备动力定位系统进行定位。半潜式平台抗风浪能力强,适应水深范围广(几十米至几千米),钻井能力强(钻井深度可达 15 000 m 以上),具有多种作业功能(钻井、生产、起重、铺管、维修等),采用多根软性立管,平台主体与上部模块可在码头边进行一体化建造,以降低海上安装费用。第一座半潜式平台诞生于 1962 年,经过几十年的发展,半潜式平台的型式越来越多,应用海域及其水深越来越广,应用范围也越来越宽。

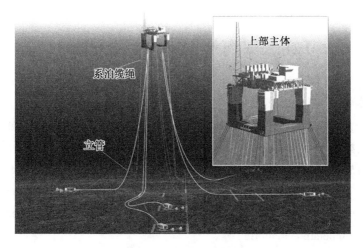

图 1.2 半潜式生产平台

(a)   (b)

(c)   (d)

图 1.3 不同立柱形式的半潜式钻井平台

我国对于半潜式平台的设计与研究始于 20 世纪 70 年代。1984 年,我国成功建造了第一座半潜式平台——勘探 3 号半潜式平台,勘探 3 号半潜式平台在我国东海的石油和天然气的勘探开发中发挥了重要作用。该平台是 6 立柱、双下船体、矩形的非自航半潜式钻井平台,适用水深 35～200 m。我国南海西部石油公司还引进了南海 2 号和南海 5 号半潜式平台,这两座平台在我国南海石油和天然气的勘探开发中发挥了巨大作用。

半潜式平台发展已经经历了七代。中国国际海运集装箱(集团)股份有限公司(以下简称"中集集团")的"蓝鲸 1 号"(图 1.4)是目前全球最新一代超深水双钻塔半潜式钻井平台,长 117 m、宽 92.7 m、高 118 m;拥有 100 多个大系统、1 000 多个子系统,27 354 台设备,40 000 多根管路,50 000 多个机械完工质量报验点,电缆拉放长度 1.2×10⁶ m,相当于北京到上海的距离;最大作业水深 3 658 m,最大钻井深度 15 250 m,配备 DP3 动力定位和推进器辅助系泊系统,适用于全球深海作业。它代表了当今世界海洋钻井平台设计建造的最高水平,将我国深水油气勘探开发能力带入世界先进列。2017 年,中集集团的"蓝鲸 1 号"作为核心钻探装备,助力我国首次成功试采海域可燃冰,取得了持续产气时间最长、产气总量最大、气流稳定、环境安全等多项重大突破性成果,创造了产气时长和总量的世界纪录。

(a)　　　　　　　　　　　　　　　　(b)

图 1.4 "蓝鲸 1 号"半潜式平台

半潜式平台属于浮动式的移动平台,其稳性主要依靠立柱提供,属于柱稳式平台的一种。半潜式平台主要作业于深水区域,但也可以在浅水区域进行坐底作业,此时,半潜式平台与坐底式平台的性能是一样的。

半潜式平台利用数个具有一定浮力的立柱将甲板箱和浮箱连接起来,并且依靠浮箱和立柱浮力支持平台。在深水区域作业时,平台处于半潜状态,浮箱潜入水中,立柱的下段也潜入水中。因此,平台大体积的浮箱潜到海平面以下一定深度,避开了海面波浪的作用区域,从而使平台所受的波浪力大大减小。半潜式平台比浮式钻井船浮在海面上所受的波浪力小很多。因此,比起一般浮式钻井船,半潜式平台抗风浪性能优良,可以在深水海域及比较恶劣的海况条件下作业,具有良好的运动性能,抗风浪性能好。

考虑到平台的结构形式及平台的半潜工作状态,它的水线面面积主要是立柱的水线面面积。虽然水面面积不大,但是由于立柱的间距较大,使半潜式平台的惯性矩较大,也使它具有较大的初稳性高度。

1.2　半潜式平台气隙响应

目前,半潜式平台作为深海浮式装备的主力军,其双浮箱与多立柱等结构大部分位于水线面以下。半潜式平台的甲板箱底面、救生设备底面等部位与水面之间存在一定的垂向间距,通常将此垂直间距称为平台气隙,其在海洋平台的相关设计中占有重要地位,能够直接影响海洋平台的服役情况。当平台气隙小于 0 时,波面会高于平台甲板箱底面,这意味着波浪对浮式海洋平台结构产生了砰击,当海洋表面环境恶劣时,波浪会直接对海洋平台造成巨大的破坏,同时会使平台上的设备和人员处于危险环境之中。在半潜式平台的设计中气隙预报为关键一环,需要考虑平台运动响应、波面高度、环境载荷等相关因素的作用。在海洋环境中,经常会有台风、急流等恶劣天气,它们能够改变波浪的原有运动情况,对海洋平台形成具备非线性特征的波浪载荷,当线性和非线性波浪载荷发生叠加作用,传递至平台立柱中间,波浪在此处会历经双浮体和立柱的多重干涉、反射、绕射作用,平台发生大幅度运动后使波浪发生溅射,在多重因素的影响下波面局部的波高会提升,与相对稳定的平台之间的垂直距离减小,也就是平台气隙降低。

在近海油气资源枯竭的背景下,深海油气的开发对深海钻井平台的锚泊系统也提出了更高的要求。在深水条件下平台运动和波面变化非线性特性越突出,平台气隙预报难度就会越高。同时,平台气隙也是平台使用性能的关键指标,在台风、巨浪和急流共同作用的恶劣海况下海洋平台耦合运动与气隙的准确预报是设计人员须重视的问题之一。海洋环境急剧变化,遇到恶劣条件时,海洋平台会发生气隙为负的情况,此时波浪与平台发生剧烈砰击,可能破坏平台结构,还会发生重大的财产和人员事故。2015 年 12 月 30 日,在挪威北海的巨魔油田(Troll Oil),半潜式钻井平台"创新号"(COSL Innovator)发生了波浪砰击事故,造成人员伤亡,平台上居住区块损坏。因此,在海洋平台的设计过程中必须考虑气隙响应与波浪砰击,同时提高气隙预报的准确性。

目前模拟平台运动和气隙响应时,主要使用半经验公式——Morison 公式和势流理论进行分析,该方法很好地解决了锚泊系统与平台的耦合运动,从而提高了平台运动响应的模拟准确性。但势流理论很难准确模拟平台的辐射、绕射及兴波等对波面的影响,所有波面的模拟精度不够,分析得到的平台气隙跟实际情况有很大的差别。利用计算流体力学(Computational Fluid Dynamics,CFD)方法能够解决此问题,通常使用纳维 – 斯托克斯方程(N – S 方程)描述黏性流体随时间变化的非定常运动,更准确地模拟波浪波面变化。但是由于浮式平台工作水深增加,锚泊系统结构更加复杂,而且平台锚链布置点面积大,运用CFD 很难全尺度模拟锚泊系统与平台的耦合影响。

浮式平台结构复杂、工作环境特殊,影响平台运动响应的参数较多,以往研究浮式海洋平台气隙预报时,主要考虑的因素如下。

(1)海面波浪与浮式平台之间的相互作用;

(2)波浪具有的不规则特性;

(3)平台所具有的刚体运动;

（4）锚泊系统与立管效应的综合影响；

（5）海洋平台在环境中的最大和最小吃水。

目前国内外对浮式海洋平台气隙的研究主要采用势流理论和模型试验方法。Sweetman 等针对某半潜海洋平台附近的最小气隙分布进行研究，通过两种流体软件的极限统计模型，对比数值计算和模型试验的影响。Stansberg 等基于 WIMIT 势流软件对半潜平台立柱附近的波高、气隙响应进行了仿真计算。Kazemi 等针对一半潜式平台分析其气隙响应，计算过程中考虑了混合边界元法、加权残值理论的相关影响，从结果中可以发现波陡与气隙值的关系十分密切，当波陡较小时二者结果相差不大，但当波陡较大时，二者计算结果存在明显区别。Kazemi 等对某半潜平台进行模型试验研究，研究显示平台靠近立柱区域出现气隙最小值，而波高的极值出现在前立柱迎浪面与浮箱交界处。Simos 等在水池中对半潜平台进行模型试验，发现立柱附近的爬浪现象在以往的研究中常常被忽略，而这对气隙响应产生了重要的影响。Lwanowski 等采用 Com FLOW 软件进行研究，分析海洋平台气隙变化，并将理论研究与试验结果比较。Li 等以双浮箱多立柱形式的半潜平台为研究对象，分析其甲板关注点与波面的相对距离，对恶劣极端环境条件下的气隙值进行了分析。Mataymoto 等针对某大水线面立柱半潜平台提出了计算其气隙响应与分布的完全非线性方法。Naess 等针对北大西洋海域工作的半潜平台，设计制作水池试验模型，并对其进行水动力分析试验，得到此平台在极限海况下的水动力性能，主要关注的是平台不同结构处的气隙响应值与波浪砰击载荷。Kim 等就浪、风、流等各种环境载荷，考虑到救生艇的气隙影响，针对浮式平台配备的救生装置在复杂环境载荷下气隙响应进行了数值模拟。曾志等针对一半潜平台，运用数值模拟研究了不同环境条件下平台的气隙响应分布规律，并将计算结果和模型试验比较。姜宗玉等考虑了海洋平台在波浪中的运动自由度和波面变化，采用三维源汇分布的方法，综合考虑六自由度运动响应函数和自由液面变化函数，通过波浪谱计算得到响应谱函数，对半潜式平台气隙响应进行了预报方法研究。王志东等基于势流理论研究了半潜式平台的气隙响应，分析了不同周期、浪向角和波高对于气隙值的影响。Huo 等研究了工作水域深度、质量回转半径、风浪流等环境条件的变化对平台气隙响应和波浪砰击载荷的影响。

Simos 以缩尺比较大的半潜平台模型为研究对象进行水池试验，以分析不同波陡影响下平台的气隙分布，结果表明在较小的波陡下立柱周围的爬浪现象对气隙值的影响不可忽略。Liang 等采用了势流理论的 DeepC 商业软件，结合流体体积法（VOF），将波面设为自由表面，能够得到锚泊定位平台的气隙响应预报。Sweetman 等针对波浪的二阶非线性部分，采用 WAMIT 软件进行计算，研究了海洋平台的气隙响应预报，当波高较大时，模型计算结果精度高于线性理论结果。Kazemi 等对某型号半潜平台利用模型试验的方法在水池中进行了试验和气隙分析，发现平台的负气隙主要出现在立柱附近，同时在浮箱上方的立柱中间区域会出现一个波高最大值，说明在立柱区域内平台与波浪之间相互作用。

从研究现状来看，在海洋平台气隙的研究理论上多采用势流理论，并采取模型试验与数值计算相结合的方法分析气隙响应。然而运用势流理论在时域内分析平台的气隙现象，很难准确模拟平台的辐射、绕射和行波对波面的影响，而且目前大多海洋工程商业软件在时域内大都使用非干扰波来分析平台气隙，这就很难准确模拟平台对波面的影响。

1.3　波浪砰击研究现状

　　波浪对海洋结构物的砰击十分短暂,是结构物、水体和空气层之间相互影响的结果,呈现非线性化特征。波浪砰击结构物的瞬间往往会产生巨大的压力,导致结构物的局部破坏。在实际工程中,波浪砰击的例子处处可见,如溃坝现象、甲板上浪、船舶下水及大浪波浪涌上堤岸,如图1.5所示。目前,海洋工程领域对砰击问题的研究主要集中在三个方面,即理论推导、试验研究及数值仿真。

(a)　　　　　　　　　　　　　　　(b)

图1.5　波浪砰击实例

1.3.1　理论推导

　　砰击问题的研究始于 Von-Karman 对飞机落水问题的研究,研究中 Von-Karman 将飞机简化为二维楔形体,并基于动量守恒推导出楔形体接触水面瞬间的最大冲击压强。

$$P = \frac{\rho v_0^2}{2} \pi \cot \alpha \tag{1.1}$$

式中　ρ——密度;

　　　v_0——楔形体与液面接触瞬间的速度;

　　　α——液面与楔形体斜面的夹角。

　　在 Von-Karman 的基础上,Wagner 做出了进一步研究。基于相同的理论,忽视流体黏性及重力的影响,Wagner 将楔形体进一步拓展为平板结构,假定平板的吃水深度远小于平板湿表面积,得出了小倾斜角度下,楔形体的砰击公式,将砰击理论研究向前推进了一大步。

　　后来的学者在 Von-Karman 及 Wagner 的基础上继续推动砰击理论的发展。广义的 Wanger 模型及修正型 Logvinovich 模型就是其中最为典型的应用。Wanger 模型(以下简称"GWM")基于边界元法则求解传统砰击问题,Logvinovich 模型(以下简称"MLM")首先在 Wanger 的研究基础上推导出速度势在平板湿表面积上的分布规律,与此同时,该理论模型还代入伯努利方程,充分考虑截面形状变化,大大提高了砰击载荷计算精度。后来学者在研究过程中,将大量的数值仿真数据、试验结果与 GWM 模型及 MLM 模型做对比,其吻合度良好,但对于倾斜角度较大的楔形体模型,大量实例证明 MLM 模型计算结果高于 GWM 模型。Watanabe 将渐进法理论与喷射理论相结合,在 Wagner 研究基础上增加了喷射内外域。与 Watanabe 相似,Cointe 计算柱体结构砰击载荷时将流场进行区域划分,共得到三块,即喷射区外、喷射区根部及顶端,并推导出了水体与结构物接触时的砰击载荷公式。对于平板上浪问题,大多参照 Wang 的研究,Wang 认为平板上浪载荷可以拆解为两个分量,即变化量缓慢的动压 P_i 及瞬间变化量极大的砰击载荷 P_s,P_i 具体表达式如下:

$$\frac{P_i}{\rho g} = \frac{\pi}{2} H \tanh \frac{2\pi d}{L} \Big[\frac{1}{A} - \Big(\frac{2\Delta C}{H} \Big)^2 \Big]^{\frac{1}{2}}$$

$$A = 1 + \Big[\frac{\pi x}{L} \Big(1 - \frac{2\Delta C}{H} \Big) \Big]^2 \tag{1.2}$$

式中 d——水深;

      H——入射波高;

      L——入射波长;

      x——板边沿至测点距离;

      ΔC——水线面与平板之间的距离。

以上介绍的理论研究都有其自身的缺陷,推导结果都建立在流体无黏无旋的基础上,但是实际海况中砰击问题的出现都伴随着液面破碎等过程,单纯的理论推导无法将所有情况都充分考虑,更无法满足实际工程中的应用,必须将理论推导、数值模拟及试验相结合。

1.3.2   试验研究

单纯的数值计算无法充分考虑砰击过程中出现的所有问题,也无法验证理论推导及数值仿真的正确性,因此试验研究成为解决实际工程问题中必不可少的条件。针对波浪砰击现象,国内外众多学者进行了一系列的试验探究。

19 世纪初,摄影技术发展促使 A. M. Worthington 成功拍摄了球体入水时的砰击图像。王永学等以接岸型码头作为研究对象,以试验测得有无渗透斜坡边界式码头及开边界式码头的砰击载荷大小,并给出了在规则波作用下,波浪周期、入射波高改变时,三种码头所受到的砰击载荷峰值的经验公式。在此基础上,分析了主尺度因素对码头结构最大砰击载荷的影响。研究结果显示,不可渗透式接岸码头的最大砰击载荷显著大于可渗透及开边界型(开边界型砰击载荷最小);随着波高的增加,三种类型接岸码头最大砰击载荷均呈线性增长趋势,而结构板宽增加则促使砰击载荷极值减小,其中不可渗透斜坡式减小程度最大,可渗透斜坡式次之,开边界式影响最小。Goda 等对波浪冲击栈桥现象进行了缩尺物理试验,试验结果显示冲击载荷在栈桥底部呈现均匀分布的状态,并根据试验数据推导,提出了波浪冲击栈桥时面板受力公式,具体如下:

$$F = \xi \rho g H \frac{L}{4} B \tanh \frac{2\pi d}{L} \Big(\frac{H}{\Delta C_0} - \frac{\Delta C_0}{H} \Big)$$

$$\Delta C_0 = \Delta C - \frac{\pi H^2}{L} \coth \frac{2\pi d}{L} \tag{1.3}$$

式中 ξ——修正系数;

g——重力加速度;

L——入射波波长;

H——入射波波高;

B——面板宽度;

ΔC——静水时自由液面与栈桥底部的距离;

d——水深。

根据研究结果显示,此公式也存在其适用范围,当 $d/H > 4$ 及面板必须在静水且自由液面以上 $0.55H$ 时,此公式才适用。

周益人等针对透空式平板进行一系列实验,实验结果显示,平板上托力由一个缓慢变化的压强及快速变化的冲击压强组成;冲击压强远大于缓变压强,主要受波陡 H/L、超高 Δh、水深 h、板宽 B 影响。周益人等在总结以上因素后,提出平板冲击压强极值计算公式。

兰雅梅等通过承台及桩柱布置压力传感器,测量了规则波下承台底部压强及桩柱面载荷分布,并在试验数据的指导下给出相对长度、相对净空高度因素对冲击压强的影响,结果显示,相对净空高度 $s/H = 0.1 \sim 0.2$ 时,承台所受到波浪的冲击最严重;随着相对长度 L_s/L 的增加,最大冲击压强随之增加。同时,试验数据可看出,承台的加入导致桩柱所受的波向力及升力都显著增加。马哲以不同的试验模型,分别监测规则波及不规则波作用下,平台下甲板和立柱结构所受到的波浪砰击载荷,在整理分析试验数据后,给出波浪冲击的影响因素。试验结果表明,随着入射波高增加,所有模型受到的砰击压强和砰击载荷均出现增大的趋势,这一现象在周期 $1.4 \sim 1.6$ s 表现最为明显;立柱对波浪砰击峰值影响显著,立柱 – 板模型砰击压强峰值较纯板式结构明显增大。

1.3.3 数值仿真

理论推导的局限性及试验研究的高成本使得数值仿真研究被越来越多的学者所接受。近些年来,随着计算机科学的发展,砰击问题的数值仿真计算形成了边界元法、VOF 法、光滑粒子法等。

1. 边界元法

边界元法起源于有限元法,在解决实际工程问题时十分有效。与纯粹的基于偏微分方程的解法相比较,边界元法将边界元差值离散转化为代数方程组,降低了目标维数及自由度个数,简化了求解。Zhao 采用边界元法数值模拟了二维楔形体,并以此得出其表面的压力分布规律。卢炽华等基于边界元法分别计算外飘形和 U 形船体剖面入水过程,计算结果显示,外飘形船体与 U 形船砰击特点差别巨大,相同计算工况下,外飘形船体更易遭受破坏。Geers 在解决圆柱体入水问题上引入源强分布理论,基于边界元法,采用迭代技术求解,减少了目标自由度,提高了精算效率。Greenhow 在 Cauchy 研究的基础上纳入重力因素,得出附黏水质量及自由液面抬高对结构物出入水会产生影响,使试验结果与数值结果更加匹配。

2. VOF 法

VOF 法从理论上来讲即采用 F 函数监测流体的自由液面。在软件中,流体区域被划分为一个个独立的网格,对每一个单独的网格而言,用函数 F_q 表示其所占据的体积,$F_q = 0$ 表明此网格中完全不存在该物质,$F_q = 1$ 表明此网格已被该物质完全填充,$0 < F_q < 1$ 表明此网格中存在体积分数为 F_q 的物质。

在海洋科学领域,越来越多的专家学者开始重视 VOF 法的应用。Austin 首次在海洋工程领域使用 SOLA – VOF 法成功预报了箱体浮式防波堤流场分布状况。杨秋霞基于 VOF 法分别计算平板及圆柱在规则波作用下的砰击载荷,并与理论计算进行比对,详细阐述了砰击发生的机理,在此基础上,将深水半潜式海洋平台构型进行简化,研究了二维及三维海洋平台的砰击载荷和相对应的运动响应。结果显示,平板及圆柱的砰击载荷均呈现出脉动特性,其周期与波浪周期相接近,平板最大峰值沿波向传递,圆柱压力峰值随深度增加。深水半潜式海洋平台载荷特点与圆柱体类似,但其运动过程会发生二次峰值现象,这是由于海洋平台运动与波浪发生二次撞击。刘亚秋分别对固定及系泊模式下海洋平台的砰击载荷大小进行研究,研究结果表明,平台纵荡加重波浪对海洋平台立柱砰击,促使系泊模式下砰击载荷远大于固定模式;平台纵摇促使系泊模式下平台侧浪面所受到的波浪砰击大于固定模式。

3. 光滑粒子法

光滑粒子法(Smoothed Particle Hydrodynamics,SPH),将传统的单元用粒子进行替代,将计算域离散为一个个独立运动的粒子,从而得到 SPH 形式的解析方程组,并进行最终求解,在解决变形很大的自由流动问题时,SPH 法可以更加容易地追踪表面自由粒子,因此较传统方法而言更具有优势。Monaghan 介绍了 SPH 法由天文物理学逐渐向力学、电磁学及计算流体力学发展的历史。Monaghan 强制加入排斥以解决粒子边界处守恒性难题,Libersky 等在 Monaghan 的基础上发展了镜像粒子法,彻底解决了此类问题,Randles 在此基础上又进一步实现内部粒子及边界粒子的自我调节方式。在海洋工程领域,SPH 法也被广泛使用。Shao 结合大涡模拟,以 SPH 法研究了波浪爬坡的机理。郑坤基于 SPH 法建立二维水槽,得出孤立波破碎的全过程,即首先形成卷破波,射流下落形成二次卷破波,最终形成反向卷破波,同时,以孤立波砰击水平板模拟波浪冲击平板从接触直至完全脱离的全过程。

1.4 畸形波研究现状

畸形波又叫"怪波",英文名为 Freak Wave。之所以称为"畸形波"是因为它的波高超乎寻常地大,而且出现很突然,几乎无规律可言。随着人类活动向深海发展,畸形波得到了更为频繁的报道。由于畸形波异常的波高及不可预测性和极端性,其可能会对船舶和浮式结构物造成重大危害。畸形波凭借其巨大的波高、高度的非线性、极快的传播速度和极具破坏力的特点成了海上非常典型的随机波。2006 年,法国超大邮轮"彭特"号被十几米高的巨浪袭击并遭受巨大破坏,之后畸形波的超强破坏性让人类开始对其进行监测。1995 年新年第一天在欧洲的北海海域,一组畸形波袭击了一座工作水深为 70 m 的采油平台,采油平台遭受了巨大的破坏,后来这组畸形波成了波浪史上赫赫有名的"新年波"。在我国海域也经常发生畸形波伤人、破坏海上结构物的事件,尤其是在台湾海峡和南海海域,这些地方经常有台风出现,加剧了畸形波的形成。

一般来说,在恶劣环境如大风浪的海况下更加容易产生畸形波。在较为恶劣的海况下,加速了风、浪、流的传播速度,波浪能量叠加得更加迅速、剧烈,使得波浪的非线性程度更加激烈。但是在近几年的数据监测当中,有很多畸形波常常发生在海况良好的情况下,出现之前没有丝毫征兆,轻易造成十几米的巨浪。如在 2001 年的南大西洋,在几乎没有海流的海况下,两艘大型船舶在相对稳定的海面遭遇 3 m 高的巨浪。基于北海实测资料的畸形波波浪历时曲线,如图 1.6 所示,检测到的有效波高在 3~5 m,而该曲线的最大值波峰达到了 15 m,符合典型的畸形波特征。Stansel 在北海海域距离 Shetland 岛大约 100 mi①的海域安装了检测装置,并采集了大约 800 小时的波浪高度变化,一共收集了大约 354 000 个波浪,并且统计到了 100 多个畸形波。如图 1.7 所示,这里选择了其中较为典型的两个极端波浪,一个波高特别大,极限波高为 18.04 m,但该波浪历时曲线测出的有效波高大约是 5.6 m,这是典型的畸形波的特征。图 1.8 所示的波浪叫作"北海深谷浪",其波浪典型的特征是其最深的波谷为 -5.38 m,而该历时曲线的有效波高仅仅达到了 3.79 m。2009 年,日本学者 Hisashi Mitsuyasu 在大西洋检测到了畸形波的发生,他利用浮标检测到的畸形波发生时的最大波高达到了 10 m,但是它的有效波高仅仅是 4 m,如图 1.9 所示。

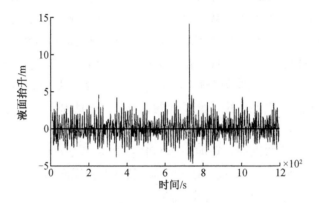

图 1.6　北海实测畸形波波浪历时曲线

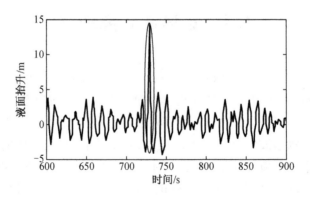

图 1.7　北海畸形波历时曲线

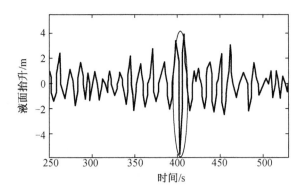

图 1.8　北海深谷浪历时曲线

图 1.9　Hisashi Mitsuyasu 在大西洋海域检测到的畸形波

　　上述案例都充分表明,在海况条件较好的时候也会发生畸形波的砰击,并且这种砰击毫无预兆,造成的后果更加致命。对于半潜式平台来说,并不是所有的平台都具备自航能力和动力定位系统,在遭遇像畸形波这样的突发型海况的时候,海洋平台的结构安全会遭受严峻考验。在没有自我调整的动力系统的情况下,半潜式平台的运动响应会发生急剧变化,超高的波浪会对平台的整体结构产生非常严重的波浪砰击,尤其是上层建筑结构比较脆弱,平台运动幅度的加剧和非常高的波浪会对半潜式海洋平台造成更加严重的破坏。因此,不管是在近海拖航还是远洋拖航都会存在畸形波突然出现的问题。对于海洋平台来说,畸形波的出现会对平台的结构产生非常严重的破坏,尤其是平台的撑杆。平台的撑杆作为细长结构物,其强度较平台上的甲板和立柱要小,并且撑杆还起到了平台整体之间力的传递作用,而畸形波的产生会对平台撑杆产生极强的破坏作用。因此,对拖航情况下平台撑杆及关键部位遭遇畸形波砰击的研究是至关重要的。

　　目前,畸形波的理论研究主要集中在对分析畸形波的早期阶段,这种方法处理起来较为麻烦,并且畸形波的很多非线性特征很难用理论解释。实地观测方法获取的试验数据较为准确,但是畸形波的不确定性使得观测时间冗长,并且畸形波的巨大破坏性会严重威胁观测人员和设备的安全,安全和成本问题较为严重。同样的物理试验方法对畸形波的模拟过程较容易,还能发现很多特殊的物理现象,但是试验成本是非常高的,对试验仪器也是极大的考验,并且试验水池模拟的畸形波,因为缩尺比和试验测量精确度等问题,影响其反推至实际海况下的准确度。

近几十年来,人们提出一些假设来理解畸形波的演化并尝试用数值方法模拟畸形波,进而研究其对海洋结构物的影响。谷家扬等以张力腿平台为研究对象,计算了其在畸形波中的运动响应,对锚泊系统耦合作用及改变波浪入射角对平台运动响应的影响。结果表明,畸形波下平台所受波浪力远大于随机波,平均增幅约为 20%,且畸形波下波浪入射角对平台运动的影响较随机波也更为显著。这一研究成果为今后考虑强非线性波浪影响时张力腿平台的设计提供了借鉴和参考。

陈旭东以一具有铝制浮箱的浮式结构物为研究对象,使用 CFD 方法计算了畸形波作用下浮箱所受波浪力、运动响应,对浮式结构与畸形波之间相互作用机理进行了探讨。邓燕飞等总结了近年来如何利用数值方法生成畸形波的方法,并对真实波浪水池中生成畸形波的方法进行归纳,这一研究方法综述为后续正确模拟畸形波以研究结构与波浪之间的相互作用夯实了基础。许国春以 SPAR 平台作为研究对象,在数值水池中生成畸形波,分析其运动响应,同时在物理水池中改变初始相位等参数生成了畸形波,进行水池模型试验,分析畸形波中 SPAR 平台耦合运动,并将其与数值模拟相比较,研究出一套关于 SPAR 平台在畸形波中的数值计算方法。

耿宝磊等将圆柱体与细长杆件加以组合,在畸形波中对这种复杂结构之间的波浪绕射现象进行研究。圆柱体与细长杆件组合而成的复杂结构在恶劣的海洋环境下会受到波浪影响,而波浪载荷中最主要的就是绕射势,后又在畸形波发生时对细长杆件产生的波浪力进行了计算。其结果指出,当圆柱体与细长杆件组成的复合结构受到一定条件的波浪时,波浪先与尺寸较大的圆柱体发生作用,形成一定的波浪绕射,波浪与尺度较小的细长杆件发生作用,产生了较大的波浪载荷。

张文旭等基于 Longuet-Higgins 波浪模型的双波列叠加改进模型对畸形波进行了数值模拟,通过 SESAM 软件计算了波浪传递函数;利用频域 – 时域变换,在时域中求解平台的运动和系泊缆的动平衡方程,最后能够得到平台运动响应幅值和缆绳张力;同时改变初始条件以分析波浪入射角等参数对平台整体运动的影响。

刘珍等针对半潜平台运用高阶边界元方法分析波浪力,特别考虑到恶劣条件下的不规则波浪、系泊系统与海洋平台三者的耦合作用,通过 Runge-Kutta 方法迭代计算每一时间步的速度势,模拟计算系泊系统受到的各作用力及受力发生的弹性变形;在 Longuet-Hinggins 模型基础上改变入射波的初始相位,在较短时间内快速生成符合定义的畸形波,并且进一步分析波浪初始相位、谱峰周期、叠加位置及流速等对平台运动的影响,特别是在平台面对波浪一侧和背对波浪一侧分别设入射波浪的聚焦点等方面,来分析系泊系统受作用力和波浪荷载的聚焦峰值。

邓燕飞等以一半潜式平台为例进行频域计算,得到平台自由漂浮状态下的幅值响应函数,通过时域模拟,计算了受"新年波"和"三姐妹波"影响下的半潜平台运动响应,对畸形波影响下的平台运动进行了详细分析;同时对波峰间隔周期和波峰极值对平台运动响应的影响做了研究,发现畸形波引起了更大的一阶波浪力和平均漂移力,因此导致了更大的低频纵荡幅值。当畸形波经过海洋平台后,会有较大的垂荡响应和突然的纵摇响应发生。

1.5　本 章 小 结

　　本章主要对海洋平台的分类及各自特点进行了介绍,重点阐述了半潜式深海平台的发展历程,对半潜式平台气隙响应、波浪砰击,以及畸形波的研究进展及其在海洋平台中的应用做了较为全面的论述。

第 2 章 势流理论与数值方法

2.1 基 本 理 论

本书对半潜式海洋平台进行气隙响应分析时,假设流体为理想流体,流场满足无旋、无黏、不可压缩的基本假定。由流体不可压缩推出其体积瞬时膨胀率为 0,得到连续性方程:

$$\nabla u = 0 \tag{2.1}$$

式中 u——等于 (u,v,w),为流体质点速度矢量,u、v、w 分别为 x、y、z 方向的流体质点速度。

由流体无旋假定流场必存在势函数 $\Phi(x,y,z,t)$,使 $u = \nabla \Phi$,将其代入式(2.1),得到拉普拉斯方程:

$$\nabla^2 \Phi = 0 \tag{2.2}$$

引入线性化假定,自由液面的运动学和动力学统一边界条件为

$$\frac{\partial^2 \Phi}{\partial t^2} + g \frac{\partial \Phi}{\partial z} = 0 , z = 0 \tag{2.3}$$

式中 t——时间;

g——重力加速度;

z——水深。

流场中物面条件为

$$\frac{\partial \Phi}{\partial n} = Vn \tag{2.4}$$

式中 n——物面法向量;

V——物面单元速度矢量,针对固定边界,满足 Vn。

有势无黏流场中的动水压强 p,可由线性化伯努利方程得到:

$$p = -\rho \frac{\partial \Phi}{\partial t} \tag{2.5}$$

式中 ρ——流体密度。

2.2　海上浮式结构物环境载荷分析

2.2.1　风载荷

1. 风压

风压 P 由下式定义：

$$P = 0.613 \times 10^{-3} V^2 \quad \text{kPa} \tag{2.6}$$

式中　V——设计风速，m/s。

2. 风力

风力 F 可由下式定义：

$$F = C_h C_s SP \quad \text{kN} \tag{2.7}$$

式中　P——结构物受到的风压，kPa；

S——平台在受风时的受风面积，m^2；

C_h——平台的高度系数；

C_s——平台的形状系数。

2.2.2　流载荷

在考虑海流对平台的作用时，平台水面以下的结构受到的海流载荷计算如下：

$$F = \frac{1}{2} C_D \rho_W v^2 A \quad \text{kN} \tag{2.8}$$

式中　C_D——曳力系数；

ρ_W——平台周围水的密度，$\text{kN} \cdot \text{s}^2 / \text{m}^4$；

v——设计海流流速，m/s；

A——平台水下部分与流速方向上的受流面积，m^2。

2.2.3　波浪载荷

波浪力在频率范围内的分布非常广，一般会将平台受到的波浪力分解为两种波浪力，一阶波浪力和二阶波浪力。其中一阶波浪力位于波频部分，二阶波浪力由低频、平均和高频这三个部分组成。

1. 一阶波浪力

一阶波浪力包括两个部分：F－K 力和绕射力。F－K 力是由入射波直接引起的波浪力；绕射力是考虑平台对流场压力分布的影响而受到来自流体的作用力。在规则波的作用下，已知平台所受到的一阶波浪力、静回复力和流体反作用力，其频域运动方程在波频的部分如下：

$$\sum_{i=1}^{6} \xi_j \left[-\omega^2 (M_{ij} + a_{ij}) - i\omega b_{ij} + c_{ij} \right] = AX_i \tag{2.9}$$

式中 M_{ij}——浮体质量；

a_{ij} 和 b_{ij}——平台的附加质量矩阵和势流阻尼系数矩阵；

c_{ij}——回复力系数；

AX_i——来自入射波的一阶波浪力；

ξ_j——浮体在第 j 个自由度上的响应。

2. 二阶波浪力

二阶波浪力主要由差频力、平均力和合频力这三部分组成。平均力和差频力合称为波浪漂移力。二次传递函数可以表示入射波与二阶波浪力之间的关系。

基于线性叠加理论，假设入射的不规则波为

$$\zeta(t) = \sum_{i=1}^{N} \zeta_i \cos(\omega_i t + \varepsilon_i) \tag{2.10}$$

则海上浮式结构物所受的二阶波浪力为

$$
\begin{aligned}
F^{(2)}(t) = & \sum_{i=1}^{N}\sum_{j=1}^{N} \frac{1}{2}\zeta_i\zeta_j P_{ij}\cos\left[(\omega_i-\omega_j)t+(\varepsilon_i-\varepsilon_j)\right] + \\
& \sum_{i=1}^{N}\sum_{j=1}^{N} \frac{1}{2}\zeta_i\zeta_j Q_{ij}\sin\left[(\omega_i-\omega_j)t+(\varepsilon_i-\varepsilon_j)\right] + \\
& \sum_{i=1}^{N}\sum_{j=1}^{N} \frac{1}{2}\zeta_i\zeta_j \overline{P}_{ij}\cos\left[(\omega_i-\omega_j)t+(\varepsilon_i-\varepsilon_j)\right] + \\
& \sum_{i=1}^{N}\sum_{j=1}^{N} \frac{1}{2}\zeta_i\zeta_j \overline{Q}_{ij}\sin\left[(\omega_i-\omega_j)t+(\varepsilon_i-\varepsilon_j)\right]
\end{aligned} \tag{2.11}
$$

式中 ω_i 和 ω_j——入射波浪的频率；

ε_i 和 ε_j——入射波浪的波幅；

ζ_i 和 ζ_j——相位角；

P_{ij}、Q_{ij}、$\overline{P}_{ij}$ 和 $\overline{Q}_{ij}$——二次传递函数。

二次传递函数与波幅无关，只是频率 ω_i 和 ω_j 的函数：

$$
\begin{cases}
P_{ij} = \int_{WL} \frac{1}{2}\rho g \zeta_{ri}^{(1)}\zeta_{rj}^{(1)}\cos(\varepsilon_{ri}-\varepsilon_{rj})\overline{n}\mathrm{d}l \\
Q_{ij} = -\int_{WL} \frac{1}{2}\rho g \zeta_{ri}^{(1)}\zeta_{rj}^{(1)}\sin(\varepsilon_{ri}-\varepsilon_{rj})\overline{n}\mathrm{d}l \\
\overline{P}_{ij} = \int_{WL} \frac{1}{2}\rho g \zeta_{ri}^{(1)}\zeta_{rj}^{(1)}\cos(\varepsilon_{ri}+\varepsilon_{rj})\overline{n}\mathrm{d}l \\
\overline{Q}_{ij} = -\int_{WL} \frac{1}{2}\rho g \zeta_{ri}^{(1)}\zeta_{rj}^{(1)}\sin(\varepsilon_{ri}+\varepsilon_{rj})\overline{n}\mathrm{d}l
\end{cases} \tag{2.12}
$$

式中 $\zeta_{ri}^{(1)}$ 和 $\zeta_{rj}^{(1)}$——相对波幅各频率的分量与来波波幅对应分量的比例系数；

ε_{ri} 和 ε_{rj}——相对波幅各频率的分量与来波波幅对应分量的随机相位差。

令 $i=j$，二阶波浪力中的平均力如下：

$$F^{(2)}_{\text{mean}} = \sum_{i=1}^{N} \zeta_i^2 P_{ii} \tag{2.13}$$

低频慢漂力如下式表示：

$$F_{LF}^{(2)} = 2 \sum_{i=1}^{N} \sum_{j>1}^{N} \zeta_i \zeta_j \text{sign}(P_{ij}) \cdot T_{ij} \cos\left[(\omega_i - \omega_j)t + (\varepsilon_i - \varepsilon_j) + \varepsilon_{ij}\right] \tag{2.14}$$

式中　T_{ij}——等于 $\sqrt{P_{ij}^2 + Q_{ij}^2}$。

2.2.4　静水力载荷

静水压力表达式为

$$P_0 = -\rho g z \tag{2.15}$$

式中　z——水面以下某点相对于静水面的深度。

浮体浸入水中所受到的浮力为

$$F_0 = -\int_{S_w} z \boldsymbol{n} \mathrm{d}S \tag{2.16}$$

式中　S_w——浸入水中湿表面面积；

　　　$\boldsymbol{n}$——等于 (nx, ny, nz)，方向向量。

在船舶静力学中，船舶的横稳性高度定义为

$$\text{GM}_T = \text{BM}_T + \text{KB} - \text{KG} \tag{2.17}$$

式中　BM_T——等于 S_{22}/V；

　　　KB——等于 z_B；

　　　KG——等于 z_G（浮心、重心都以船底基线为原点）。

船舶的纵稳性高度定义为

$$\text{GM}_L = \text{BM}_L + \text{KB} - \text{KG} \tag{2.18}$$

对于横摇方向静水刚度 K_{44} 和纵摇方向静水刚度 K_{55}，可以用稳性高度来表达：

$$K_{44} = \rho g V \text{GM}_T \tag{2.19}$$

$$K_{55} = \rho g V \text{GM}_L \tag{2.20}$$

船舶垂向的刚度是由水线面提供的，在吃水变化不大的前提下，垂向静水刚度 K_{33} 由下式表达：

$$K_{33} = \rho g A_w \tag{2.21}$$

2.3　频　域　分　析

2.3.1　RAO

浮体运动幅值响应算子（Response Amplitude Operaters，RAO）的含义是浮体对应自由度运动幅值与波幅的比，表明在线性波浪作用下浮体的运动响应特征。以船舶的横摇运动为例，横摇 RAO 是船舶在单位波幅的规则波作用下产生的，关于波浪频率的横摇运动幅值函数，近似表达式为

$$\text{Roll}_{\text{RAO}} = \frac{\theta_X}{\xi_a} = \text{DAF}_{\text{Roll}} \frac{\omega^2}{g} 57.3 \sin\beta \tag{2.22}$$

式中 θ_X——船舶横摇运动幅值；

      ξ_a——入射波波幅，此处为规则波单位波幅；

      DAF_{Roll}——横摇运动方程得到的动力放大系数；

      ω——入射波圆频率；

      β——入射波角度，°/m。

RAO 本质上描述的是线性条件下入射波幅与浮体运动幅值的关系。当对运动响应结果求一次导数、二次导数后，对应的运动 RAO 变为运动速度响应 RAO 和加速度响应 RAO。

2.3.2　不规则波作用下的波频运动响应

对于一个给定的波浪谱 $S(\omega)$，0 航速下浮体的波频运动响应谱 $S_R(\omega)$ 可以表达为

$$S_R(\omega) = \text{RAO}^2 S(\omega) \tag{2.23}$$

根据响应谱得到的第 n 阶矩的表达式为

$$m_{nR} = \int_0^\infty \omega^n S_R(\omega) \, \mathrm{d}\omega \tag{2.24}$$

式中 m_{nR}——运动方差。

一般认为短期海况符合窄带瑞利分布，浮体的波频运动近似认为同样符合瑞利分布，则浮体波频运动有义值可以根据谱矩求出，即

$$R_{1/3} = 2 \sqrt{m_0 R} \tag{2.25}$$

对应运动平均周期 T_{1R} 和平均跨零周期 T_{2R} 为

$$T_{1R} = 2\pi \frac{m_0 R}{m_1 R} \tag{2.26}$$

$$T_{2R} = 2\pi \sqrt{\frac{m_0 R}{m_2 R}} \tag{2.27}$$

2.3.3　不规则波作用下的波频运动统计分析

浮体运动响应值 R_a 以瑞利分布表达：

$$f(R_a) = \frac{R_a}{m_0 R} \exp\left(\frac{-R_a^2}{2m_0 R}\right) \tag{2.28}$$

那么 R_a 大于 a 的概率为

$$P(R_a > a) = \int_0^\infty \frac{R_a}{m_0 R} \exp\left(\frac{-R_a^2}{2m_0 R}\right) \mathrm{d}R_a = \exp\left(-\frac{a^2}{2m_0 R}\right) \tag{2.29}$$

对上式两边求对数，则有

$$R_a = k \sqrt{m_0 R} \tag{2.30}$$

式中 k——不同保证率。

对于服从窄带瑞利分布的波浪和波浪频域的浮体运动响应,可以从频域角度根据方差来推断极值,如 1/1 000 极值等于 3.72 倍的方差,等于 1.86 倍的有义值。

对于"短期海况"时间 t,浮体波频运动次数为 t/T_{1R} 次,那么出现的最大值所对应的超越概率为发生次数的倒数即 T_{1R}/t,则浮体运动最大值 $R_{\max}$ 为

$$\exp\left(-\frac{R_{\max}^2}{2m_0R}\right) = \frac{T_{1R}}{t} \tag{2.31}$$

$$R_{\max} = \sqrt{-2m_{0R}\ln\frac{T_{1R}}{t}} = \sqrt{2m_{0R}\ln\frac{t}{T_{1R}}} \tag{2.32}$$

2.3.4　低频运动的谱分析

低频波浪载荷以谱的形式可以表达为

$$S_{F2-}(\Delta\omega) = 8\int_0^\infty S(\omega)S(\omega+\Delta\omega)\left[\frac{F_i\left(\omega+\dfrac{\Delta\omega}{2}\right)}{\xi_a}\right]^2 d\omega \tag{2.33}$$

式中　$S(\omega)$——波浪谱;

$F_i\left(\omega+\dfrac{\Delta\omega}{2}\right)$——对应频率 $\omega+\dfrac{\Delta\omega}{2}$ 的平均波浪漂移力。

系泊状态下的浮体低频响应动力方程为

$$(M+\Delta M)\ddot{X} + B'\dot{X} + K_m X = F_i(t) \tag{2.34}$$

式中　ΔM——低频附加质量;

B'——系泊状态下的系统阻尼;

K_m——系泊恢复刚度;

$F_i(t)$——低频漂移力。

对于系泊状态的浮体纵荡运动,其响应谱可以表达为

$$S_{R2-}(\Delta\omega) = |R_{2-}(\Delta\omega)|^2 S_{F2-(\Delta\omega)} \tag{2.35}$$

式中　$R_{2-}(\Delta\omega)$——质量–阻尼—弹簧系统的动力学导纳。

根据之前的谱分析理论,则纵荡运动的低频方差为

$$m_{0R2-}(\Delta\omega) = \int_0^\infty \frac{S_{F2-}(\Delta\omega)}{[K_m-(M+\Delta M)\Delta\omega^2]^2 + B'^2\Delta\omega^2} d\Delta\omega \tag{2.36}$$

由于系泊系统往往是小阻尼低频共振系统,因而上式中对于运动方差的主要贡献是纵荡固有周期附近的共振激励载荷,典型的低频运动极值为标准差的 3～4 倍。

由以上可知,在系泊系统刚度、浮体质量、低频附加质量及平均漂移载荷已知的情况下,可以通过频域计算出系泊浮体大致的平面内低频运动响应情况。这种方法也是进行系泊系统初期设计的常用方法。

2.4 时域分析

时域分析引入了单位脉冲函数 $\delta(\tau)$，其作用在系统上产生一个对应的响应 $h(t-\tau)$，即脉冲响应函数，其含义为浮式系统受到脉冲作用后产生的响应，表达的是受到脉冲影响发生运动直至恢复平静状态的过程中系统所经历的响应特性。

线性系统在某段时间内的响应可以视作多个线性响应的叠加，即

$$R(t) = \int_{-\infty}^{\infty} \xi(t-\tau) h(\tau) \mathrm{d}\tau \tag{2.37}$$

式中 $\xi(t-\tau)$——一段时间内的波高升高。

$h(\tau)$ 可以通过频域分析中的频率响应函数经傅里叶变换得到：

$$h(\tau) = \int_{-\infty}^{\infty} H(\omega) \mathrm{e}^{\mathrm{i}wt} \mathrm{d}\omega \tag{2.38}$$

对于有系泊系统的浮式结构物，其运动方程可以写为

$$\sum_{j=1}^{6} \left[(\boldsymbol{a}_{ij} + \boldsymbol{m}_{ij}(t)) \ddot{x}_j(t) + \int_{0}^{t} \boldsymbol{K}_{ij}(t-\tau) \dot{x}_j(\tau) \mathrm{d}\tau + \boldsymbol{C}_{ij} \boldsymbol{x}_j(t) \right] = \boldsymbol{F}_i(t) \quad i = 1, \cdots, 6 \tag{2.39}$$

式中 $\boldsymbol{a}_{ij}$——浮体的惯性质量矩阵；

$\boldsymbol{m}_{ij}(t)$——浮体的附加质量矩阵；

$\boldsymbol{K}_{ij}(t-\tau)$——延迟函数矩阵；

$\boldsymbol{C}_{ij}$——静水回复力矩阵；

$\boldsymbol{F}_i(t)$——波浪激励力矩阵；

$\boldsymbol{x}_j(t)$——浮体位移矩阵。

延迟函数矩阵 $\boldsymbol{K}_{ij}(t)$ 为

$$\boldsymbol{K}_{ij}(t) = \frac{2}{\pi} \int_{0}^{\infty} B_{ij}(\omega) \cos(\omega t) \mathrm{d}\omega \tag{2.40}$$

延迟函数矩阵 $\boldsymbol{K}_{ij}(t)$ 为频域水动力求解出的辐射阻尼 $B_{ij}(\omega)$ 经傅里叶逆变换求出。

为获得浮体在波浪中的运动位移矩阵 $\boldsymbol{x}_j(t)$，必须知道浮体的附加质量矩阵 $\boldsymbol{m}_{ij}(t)$、延迟函数矩阵 $\boldsymbol{K}_{ij}(t)$ 和波浪激励力矩阵 $\boldsymbol{F}_i(t)$。

波浪激励力矩阵 $\boldsymbol{F}_i(t)$：

$$\boldsymbol{F}_i(t) = \sum_{k=1}^{N} R[A_k F_i(\omega_k) \mathrm{e}^{-\mathrm{i}(\omega_k t + \theta_k)}] \tag{2.41}$$

式中 A_k、ω_k、θ_k——对应波谱中每个规则波成分波的波幅、频率和相位；

$F_i(\omega_k)$——是频率为 ω_k 的单位波幅对应波浪激励力。

当求出浮体的附加质量矩阵、延迟函数矩阵、静水回复力矩阵、波浪激励力矩阵和浮体位移矩阵后,可以使用数值方法,经过迭代求解,最终求出浮体的运动时域响应与缆绳张力时域响应等结果。

2.5　本章小结

本章主要介绍了势流理论基础与数值方法,包括风、浪、流、静水力等不同载荷参数的设定,以及时域分析、频域分析和海洋浮式结构物的环境载荷分析。

第3章 计算流体力学理论
与数值方法

CFD 从 20 世纪 60 年代开始兴起,主要用来模拟真实流场,完整捕捉流场特征和信息。CFD 方法在计算中考虑了黏性,更符合真实的流动,能够讨论在风、浪、流等环境下载荷对砰击压力产生的影响,着重解决理论计算方法无法解决的水动力问题,具有与模型试验相媲美的精确性及可靠性,且计算成本更低。这就为研究半潜式平台的波浪爬升、砰击、飞溅等强非线性现象提供了完美的解决方案。

采用 CFD 方法必须考虑诸多方面的因素,如流场总体网格的划分、湍流模型的选择类型、边界层的设定,以及时间步长和收敛精度的确定等,这都是目前 CFD 方法面临的复杂问题。CFD 方法已经成为研究平台波浪砰击和波浪爬升的热门方法。通过对 N – S 方程展开求解,准确模拟所需的自由液面,能够真实地模拟出实际流场和海洋平台之间的相互作用过程与原理。本章将较为详细地介绍 CFD 软件(STAR – CCM +)数值模拟所依据的计算原理、求解方法等。

近些年来,STAR – CCM + 作为一款逐渐成为主流的通用 CFD 分析软件,有着用户界面层次分明,操作方便,自动划分网格速度快、质量高,计算速度快、精度高,拥有强大的后处理功能等优点。STAR – CCM + 的计算程序是以有限体积法为理论来预报流体流动现象的,而且还拥有多种求解离散方程、湍流模型可供用户选择,有自由液面追踪的 VOF 波模型及模拟海洋结构物六自由度运动的 DFBI 模型等。本章将重点阐述 CFD 软件的一些基本理论及数值仿真所采用的一些基本方法。

3.1 控制方程与湍流模型

众所周知,流场中流体的运动一般需满足以下几个条件:质量守恒定律、动量守恒定律及能量守恒定律。数值模拟时采用控制方程对上述守恒定律进行数学表达,控制方程表示为连续性方程(质量守恒方程)和 N – S 方程(动量守恒方程),分别如下式所示:

$$\frac{\partial U_i}{\partial x_i} = 0 \tag{3.1}$$

$$\frac{\partial U_i}{\partial t} + \rho \frac{\partial (U_i U_j)}{\partial x_i} = -\frac{\partial P}{\partial x_i} + \rho \frac{\partial}{\partial x_j} \left[v \left(\frac{\partial U_i}{\partial x_j} + \frac{\partial U_j}{\partial x_i} \right) \right] + \rho g_i \tag{3.2}$$

式中　U_i、U_j——沿 x_i 坐标系方向的速度分量;

　　　P——压力;

　　　ρ——流体密度;

g_i——质量力。

目前,计算流体力学实际换算过程中对应用于湍流运动的瞬时 N – S 方程进行时均化处理,主要采用雷诺平均法求解 N – S 方程。雷诺平均方程(RANS 方程)可以将湍流流动拆分成平均流动项和瞬时流动项,将方程中的瞬态变量 φ 分解为时均量和脉动量两部分,如下式所示:

$$\varphi = \overline{\varphi} + \varphi' \tag{3.3}$$

式中　$\overline{\varphi}$——时均量;

φ'——脉动量。

从而通过时均化后的式(3.1)和式(3.2)可以表示为式(3.4)和式(3.5):

$$\frac{\partial U_i}{\partial x_i} = 0 \tag{3.4}$$

$$\frac{\partial U_i}{\partial t} + \rho \frac{\partial (U_i U_j)}{\partial x_i} = -\frac{\partial P}{\partial x_i} + \rho \frac{\partial}{\partial x_j}\left[v\left(\frac{\partial U_i}{\partial x_j} + \frac{\partial U_j}{\partial x_i}\right) - \rho \overline{u_i' u_j'} \right] + \rho g_i \tag{3.5}$$

为了达到表达方便的目的,时均量 $\overline{\varphi}$ 常常用 φ 来表示;雷诺应力用 $\overline{u_i' u_j'}$ 来表示,该项作为未知量。

本节采用有限体积法(Finite Volume Method)离散控制方程。有限体积法顾名思义是在有限体积内对控制微分方程进行积分,守恒方程表示如下:

$$\int_{\Delta V} \frac{\partial (\rho \phi)}{\partial t} \mathrm{d}V + \int_{\Delta V} \mathrm{div}(\rho u \overline{\phi}) \mathrm{d}V = \int_{\Delta V} \mathrm{div}(\Gamma \mathrm{grad}\phi) \mathrm{d}V + \int_{\Delta V} S \mathrm{d}V \tag{3.6}$$

式中　ϕ——通用变量;

div——散度;

Γ——广义扩散系数;

S——广义源项。

基于高斯散度公式,将式(3.6)转化为下式:

$$\int_{\Delta V} \frac{\partial}{\partial t}(\rho \phi) \mathrm{d}V + \int_A \overline{n} \cdot (\rho u \overline{\phi}) \mathrm{d}A = \int_A \overline{n} \times (\Gamma \mathrm{grad}\phi) \mathrm{d}A + \int_{\Delta V} S \mathrm{d}V \tag{3.7}$$

式(3.7)中四项所代表的物理意义可以表达为如下形式:

$$\varphi_{随时间的变化量} + \varphi_{由对流引起的净减少量} = \varphi_{由扩散引起的净增加量} + \varphi_{由源引起的净增加量} \tag{3.8}$$

对离散方程进行求解的实质是选择合适的离散化方法离散控制方程。按照压力 P 与速度 V 的耦合原理,本节的求解方法主要采用求 SIMPLE 算法。

SIMPLE 算法的核心是借助基础网格不断地对计算历程进行猜测→修正,最终解决动量方程的求解问题。除此之外,还有 SIMPLEC 算法,其与 SIMPLE 算法非常类似,只不过在 SIMPLEC 算法中,对通量的修正方法进行了再次修正,这样做可以做到精确收敛。而 PISO 算法比以上这两种算法多设置了一个修正项,实现了二次改进,同时单个迭代步中的收敛速度也得到很大的提升。

目前,雷诺应力模型和涡黏性模型在各个计算领域都有较为成熟的应用。雷诺应力模型对模型的封闭形式有一定的要求,适用范围得到了一定的限制。所以,涡黏性模型的应用更加广泛。与雷诺应力模型不同的是,涡黏性模型加入湍流黏度这一项,再把雷诺应力与湍流黏度用函数的形式联系起来,只需要将湍流黏度确定出来,就可以将雷诺应力计算出来。雷诺应力和平均速度梯度的方程式如下:

$$-\rho \overline{u_i' u_j'} = \mu_t \left(\frac{\partial u_i}{\partial x_j} + \frac{\partial u_j}{\partial x_i} \right) - \frac{2}{3} \left(\rho k + \mu_t \frac{\partial u_k}{\partial x_k} \right) \delta_{ij} \tag{3.9}$$

式中　u_i、u_j、u_k——对应的速度分量;

　　　μ_t——湍流黏度;

　　　k——湍动能。

这里选用标准 $k - \varepsilon$ 模型,标准 $k - \varepsilon$ 模型具有稳定性与经济性良好、计算精度高的优点。湍流黏度的方程式如下:

$$\mu_t = \rho C_\mu \frac{k^2}{\varepsilon} \tag{3.10}$$

式中　C_μ——经验常数,取值 0.09。

k 和 ε 所对应的输运方程分别为

$$\frac{\partial(\rho k)}{\partial t} + \frac{\partial(\rho k u_i)}{\partial x_i} = \frac{\partial}{\partial x_j} \left[\left(\mu + \frac{\mu_t}{\sigma_k} \right) \frac{\partial k}{\partial x_j} \right] + G_k - \rho \varepsilon \tag{3.11}$$

$$\frac{\partial(\rho \varepsilon)}{\partial t} + \frac{\partial(\rho \varepsilon u_i)}{\partial x_i} = \frac{\partial}{\partial x_j} \left[\left(\mu + \frac{\mu_t}{\sigma_\varepsilon} \right) \frac{\partial \varepsilon}{\partial x_j} \right] + G_{1\varepsilon} \frac{\varepsilon}{k} G_k - C_{2\varepsilon} \rho \frac{\varepsilon^2}{k} \tag{3.12}$$

式中　$C_{1\varepsilon}$、$C_{2\varepsilon}$、σ_k、σ_ε——经验常数,取值为 $C_{1\varepsilon} = 1.44$、$C_{2\varepsilon} = 1.92$、$\sigma_k = 1.0$、$\sigma_\varepsilon = 1.3$;

　　　G_k——湍动能产生项,表达形式如下:

$$G_k = \mu_t \left(\frac{\partial u_i}{\partial x_j} + \frac{\partial u_j}{\partial x_i} \right) \frac{\partial u_i}{\partial x_j} \tag{3.13}$$

标准 $k - \varepsilon$ 模型和改进的 RNG $k - \varepsilon$ 模型,两种模型都来自烦琐而又准确的数据分析。k 和 ε 的输运方程分别为

$$\frac{\partial(\rho k)}{\partial t} + \frac{\partial(\rho k u_i)}{\partial x_i} = \frac{\partial}{\partial x_j} \left[\alpha_k \left(\mu + \rho C_\mu \frac{k^2}{\varepsilon} \right) \frac{\partial k}{\partial x_j} \right] + G_k - \rho \varepsilon \tag{3.14}$$

$$\frac{\partial(\rho \varepsilon)}{\partial t} + \frac{\partial(\rho \varepsilon u_i)}{\partial x_i} = \frac{\partial}{\partial x_j} \left[\alpha_k \left(\mu + \rho C_\mu \frac{k^2}{\varepsilon} \right) \frac{\partial \varepsilon}{\partial x_j} \right] + G_{1\varepsilon} \frac{\varepsilon}{k} G_k - C_{2\varepsilon} \rho \frac{\varepsilon^2}{k} - R_\varepsilon \tag{3.15}$$

式中　$C_{1\varepsilon}$、$C_{2\varepsilon}$、C_μ——经验常数,取值为 $C_{1\varepsilon} = 1.44$、$C_{2\varepsilon} = 1.92$、$C_\mu = 0.0845$。

与标准 $k - \varepsilon$ 模型相比较,RNG $k - \varepsilon$ 模型增加了一项 R_ε,如式(3.16)所示:

$$R_\varepsilon = \frac{C_\mu \rho \eta^3 (1 - \eta / \eta_0)}{1 + \beta \eta^3} \frac{\varepsilon^2}{k} \tag{3.16}$$

式中　η_0——等于 4.38;

　　　β——等于 0.012。

标准 $k - \omega$ 模型弥补了传统 $k - \varepsilon$ 模型在处理近壁区域低雷诺数流动时的不足。其湍流黏度的定义,如式(3.17)所示:

$$\mu_t = \alpha^* \frac{\rho k}{\omega} \tag{3.17}$$

式中　α^*——等于 $\alpha_\infty^* \left(\dfrac{\alpha_0^* + \mathrm{Re}_t / R_k}{1 + \mathrm{Re}_t / R_k} \right)$,其中 R_k 等于 6,α_0^* 等于 $\beta_i / 3$,β_i 等于 0.072。

k 和 ω 的输运方程分别为

$$\frac{\partial(\rho k)}{\partial t}+\frac{\partial(\rho k u_i)}{\partial x_i}=\frac{\partial}{\partial x_j}\left(\Gamma_k\frac{\partial k}{\partial x_j}\right)+G_k-Y_k \tag{3.18}$$

$$\frac{\partial(\rho \omega)}{\partial t}+\frac{\partial(\rho \omega u_i)}{\partial x_i}=\frac{\partial}{\partial x_j}\left(\Gamma_\omega\frac{\partial \omega}{\partial x_j}\right)+G_\omega-Y_\omega \tag{3.19}$$

式中　Γ_k——等于 $\mu+\dfrac{\mu_t}{\sigma_k}$;

Γ_ω——等于 $\mu+\dfrac{\mu_t}{\sigma_\omega}$;

G_k——等于 $\mu_t S^2$;

G_ω——等于 $\alpha\dfrac{\omega}{k}G_k$。

这里选用 SST $k-\omega$ 模型作为本书数值模拟的湍流模型,该模型结合了 $k-\varepsilon$ 模型和 $k-\omega$ 模型的特点,从而在自由流动区域使用 $k-\varepsilon$ 模型,同时在近壁区域使用 $k-\omega$ 模型。其湍流黏度的定义,如式(3.20)所示:

$$\mu_t=\frac{\rho k}{\omega}\frac{1}{\max\left(\dfrac{1}{\alpha^*},\dfrac{SF_2}{\alpha_1\omega}\right)} \tag{3.20}$$

式(3.21)和式(3.22)为 k 和 ω 所对应的输运方程:

$$\frac{\partial(\rho k)}{\partial t}+\frac{\partial(\rho k u_i)}{\partial x_i}=\frac{\partial}{\partial x_j}\left(\Gamma_k\frac{\partial k}{\partial x_j}\right)+\widetilde{G}_k-Y_k \tag{3.21}$$

$$\frac{\partial(\rho \omega)}{\partial t}+\frac{\partial(\rho \omega u_i)}{\partial x_i}=\frac{\partial}{\partial x_j}\left(\Gamma_\omega\frac{\partial \omega}{\partial x_j}\right)+G_\omega-Y_\omega+D\omega \tag{3.22}$$

式中　Γ_k——等于 $\mu+\dfrac{\mu_t}{\sigma_k}$;

Γ_ω——等于 $\mu+\dfrac{\mu_t}{\sigma_\omega}$;

$\widetilde{G}_k$——等于 $\min(G_k,10\rho\beta^* k\omega)$,$G_k$ 等于 $\mu_t S^2$;

G_ω——等于 $\dfrac{\alpha}{v_t}G_k$。

3.2　自由液面理论

在数值模拟过程中,规定自由液面通过网格追踪法和网格捕捉法进行模拟。自由液面追踪法通过动网格技术将网格变形成需要的自由液面的形状,满足自由液面的运动和动力学方程。

运动学条件如式(3.23)所示:

$$\frac{\partial \zeta}{\partial t}+U\frac{\partial \zeta}{\partial x}+V\frac{\partial \zeta}{\partial y}-W=0 \tag{3.23}$$

式中 ζ——波高。

对于动力学条件,如果认为自由液面的变形很小,自由液面表面张力为0,则压力和切向速度数学方程由式(3.24)和式(3.25)表示:

$$p = \frac{\zeta}{Fr^2} \tag{3.24}$$

$$\frac{\partial U}{\partial z} = 0, \quad \frac{\partial V}{\partial z} = 0, \quad \frac{\partial W}{\partial z} = 0 \tag{3.25}$$

获得稳定、有效的自由液面形状是自由液面追踪法的独特优点,自由液面捕捉法更适合非线性程度较大的波面,如波浪破碎等,且网格稳定,便于控制网格质量。

VOF 方法的主要步骤是计算目标流体的体积/网格体积,设网格单元中第 q 项流体的体积分数为 a_q,则:

(1)网格单元中不含第 q 项流体时 $a_q = 0$;

(2)网格单元中含有第 q 项流体和其他项流体时 $0 < a_q < 1.0$;

(3)网格单元中只含第 q 项流体时 $a_q = 1$。

同时,各项流体的体积分数应满足下式:

$$\sum_{q=1}^{n} a_q = 1 \tag{3.26}$$

通过求解体积分数的连续性方程来确定各项流体间的分界面,第 q 项流体的连续性方程为

$$\frac{\partial a_q}{\partial t} + \frac{\partial (a_q u_i)}{\partial x_i} = 0 \tag{3.27}$$

流体密度 ρ、黏度系数 μ、压力 p 等网格单元中流体的各项属性,应由单元中所有分项共同决定,如式(3.28):

$$\rho = \sum_{q=1}^{n} a_q \rho_q, \quad \mu = \sum_{q=1}^{n} a_q \mu_q, \quad p = \sum_{q=1}^{n} a_q p_q \tag{3.28}$$

式中 ρ_q——第 q 项流体的密度 ρ;

μ_q——第 q 项流体的黏度系数 μ;

p_q——第 q 项流体的压力 p。

3.3 网格划分

随着学科领域和计算机技术的不断发展,模拟的环境工况、对象特性变得越来越复杂,对网格的质量提出了更加严格的要求。例如,周围流场及其几何形状的复杂度显著提高,促使生成的对应的网格愈加精确。因此,网格划分在仿真模拟中举足轻重,其占据了整个数值模拟过程中近60%的工作。一般来说,将网格划分为结构化/非结构化网格两种。

结构化网格的优点主要有:划分速度快、疏密程度层次分明、整体结构有序、数目少、质量高等。同时,结构化网格的缺点也十分突出,计算模型的物理模型越复杂,曲率变化越大,其对应的结构化网格划分难度就越大,网格质量也越得不到保证。那么这时候就要用

到非结构化网格,但是这种网格分辨率差。因而,在实际模拟过程中,为了更加真实、准确地模拟复杂模型的相关特性,通常会将这两种网格综合使用,将两种网格混合起来,使之能够更加准确。

网格质量是计算精度和计算速度的决定性因素之一,最差的情况可能计算无法正常进行下去。所以,在网格划分的过程中,必须遵循以下原则。

(1)网格划分的数量和质量在复合计算要求的情况下尽可能地精简。为了加速计算,我们所生成的网格要便于数据结构的层次简洁、高效。

(2)网格线要以正交为目标,曲线要尽可能降低曲率,不可过度弯曲。对于某处曲率过大的线条,可能会存在不太光顺的地方,那么就要修正模型的曲率,使曲线变得光滑。

(3)网格划分尽可能贴体。如果网格节点和物体表面存在间隙,边界生成网格时就要进行插值计算,便会导致误差的产生。边界差值存在的误差会影响流场中某一些节点的变量值,随后流场中的所有节点都会出现偏差。小的偏差不断累积,达到一定的限制的时候,计算就会出现发散的现象。

(4)网格的分布情况要达到网格划分要求,过渡不同区域间的网格要做到层次分明、循序渐进,某些模型区域曲线和结构较为复杂,一些关键的流动区域,例如自由液面处要额外进行网格加密,这样可以有效地捕捉流场和物体运动的细节。

3.4　边界条件处理

在进行 CFD 数值仿真之前,对流体的理论知识要详知,对计算区域的初始条件和边界条件也要进行详细设定。要尽可能符合实际情况地给出计算域各边界位置处应当满足的物理条件,合理的边界条件选取是 CFD 模拟分析必不可少的重要因素。本书的计算域需要对流体入口、流体出口、重叠区域、两侧边及船体表面等不同边界给出不同的边界条件。

CFD 软件模拟平台运动时,波浪输入边界要设置速度入口。速度入口是指来流的进口,可以指定流体的速度及方向,一般处理的不可压缩流体问题都为均匀来流。对于均匀来流,可得到相应的湍流动能 k 和湍流耗散率 ε,如式(3.29)和式(3.30)所列:

$$k = \frac{3}{2}(\bar{u}I)^2 \tag{3.29}$$

$$\varepsilon = C_\mu^{3/4} \frac{k^{3/2}}{l} \tag{3.30}$$

式中　$\bar{u}$——速度入口处的平均速度;

　　　I——湍流强度;

　　　C_μ——等于 0.09;

　　　l——等于 $0.07L$(L 为特征长度)。

动边界条件一般都要与 STAR - CCM + 二次开发结合使用。采用 Field Function 定义动边界和区域上的值,或者定义初始条件,使边界按照给定的速度或者运动方程进行运动,达到作用于流体的目的。一般来说,处于黏性流动中物面上流体的 V(速度)和物体边界的 V

（速度）是相等的。因此，STAR - CCM + 软件中应避免边界条件默认设置为无滑移。

3.5　本 章 小 结

　　本章主要研究了 CFD 数值仿真的基本公式和理论，包括控制方程及其离散、边界条件、各种湍流模型、自由液面 VOF 法及对网格划分上的尺寸要求等，为后续章节即半潜式海洋平台撑杆在拖航工况下的砰击压力数值仿真研究提供了扎实的理论基础。

第4章 典型半潜式平台数值模型修正与水动力性能分析

4.1 半潜式平台概况

本书使用的半潜式平台是我国新一代典型的半潜式海洋钻井平台,主体为双浮箱、四立柱、箱型结构,甲板可变载荷 5 000 t,采用 DP3 定位方式,是国内最先进的第六代钻井平台之一,型长 105 m,型宽 70 m,能够在水深 1 500 m 范围内的海域从事海上石油、天然气的勘探开发作业,钻井深度约 10 000 m,设计年限 25 年,可抵御北大西洋百年一遇的海况。半潜式平台相关主尺度见表 4.1,平台的静水力参数见表 4.2。半潜式海洋平台如图 4.1 所示。

表 4.1 半潜式平台相关主尺度

结构名称	模型参数	单位
浮箱(长×宽×高)	104.50×3.90×10.05	m³
甲板箱高度	37.55	m
双层底高度	29.55	m
浮箱中心间距	37.50	m
纵向立柱间距	55.00	m
立柱截面尺寸	15.50	m²
自存吃水/排水体积	15.50/38 400.00	m/m³

表 4.2 平台的静水力参数

重心位置/m			浮心位置/m			回转半径/m		
LCG	TCG	VCG	LCB	TCB	VCB	R_{xx}	R_{yy}	R_{zz}
0.05	0.00	23.40	0.10	0.00	6.50	29.90	31.60	34.50

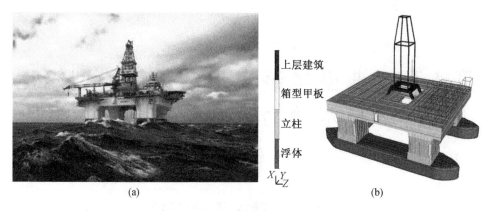

图 4.1　半潜式海洋平台

4.2　系　泊　方　案

本书的研究对象为半潜式海洋平台,作业水域为南海水域。南海水域散布着众多岛礁,水深变化梯度大,可能在较短的水平距离内海床在垂直方向就有较剧烈的梯度变化,如果采用系泊半径较大的悬链线系泊方法,系泊缆在浅水区域可能与海床发生摩擦碰撞,影响系泊缆的疲劳年限和寿命,同时也会对海洋平台的运动幅值造成负面影响,对其正常作业造成困扰。为适应这种水域的地质特点,本书考虑采用张紧式系泊方案。

对于此类半潜式平台的张紧式系泊系统设计,通常有锚链、钢缆、聚酯缆等系泊缆材料的选择。本书对系泊缆采用三段式设计,即单根系泊缆由锚链(卸扣)—聚酯缆—锚链组成。在两端采用锚链设计的原因是在平台端,方便系泊缆的装卸,并使缆绳与导缆孔之间保持一定距离,减少摩擦。在海底端,系泊缆通常会与海底的沙石产生摩擦,所以采用锚链设计,避免沙石对聚酯材料造成磨损,影响纤维材料的力学性能。

综上所述,本书选用高密度聚乙烯作为八点对称张紧式系泊系统的系泊缆材料,其主要优点如下。

(1)高密度聚乙烯等新型纤维材料在近几年得到越来越广泛的应用,其优势是自身质量与锚链及钢丝缆相比大大减小。随着作业水深的逐步增加,平台自身的系泊系统质量快速增大,导致浮式平台所受到的垂向载荷增大,进而影响到系泊缆的张力和平台的定位能力。同时,若整体使用锚链,因为整体质量大,安装系泊系统时对锚绞机的性能也有较高要求。采用纤维材料之后,浮式平台系泊系统的施工安装也更为安全、经济。

(2)由于高密度聚乙烯材料弹性较大,使用此材料的张紧式系泊方案在半潜式平台未开始运动时就存在预紧力,系泊缆处于张紧状态时平台的运动响应与悬链线方案相比也会更小。同时对布锚半径的要求更低,布锚半径更小使得整体漂移量降低,系泊索的出缆角度与悬链线式相比更平缓,这样与导缆孔发生的垂向载荷更小。

(3)张紧式系泊方法具有更小的系泊半径,更适应多种工作环境,提高了工作灵活性。同时其干重和湿重相比,锚链及钢丝缆大大减轻,在成本控制和施工安全方便性上更具有无法比拟的优势。

聚乙烯的强度是普通聚酯材料的4倍。图4.2所示为0°浪向下的锚泊系统布锚方式,采用4组8根系泊缆张紧式系泊对称布置在平台的迎浪面和背浪面,出缆角为30°,水深100 m,布锚半径200 m。8根系泊缆长度均为226 m,都处于张紧状态并且保持有一定的预张力,系泊缆长度为平台端导缆孔至海底端锚点位置处的直线距离,其具体参数见表4.3。

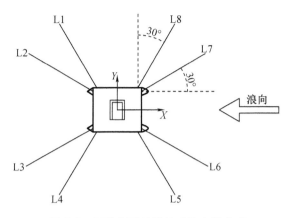

图4.2　0°浪向下的锚泊系统布锚方式

表4.3　系缆参数

类型	直径/mm	湿重/(kg/m)	干重/(kg/m)	轴向刚度/N	破断强度/N	聚乙烯长度/m	锚链长度/m
实体	114	7	0.3	2.57E8	7.35E6	200	2×13

4.3　半潜式平台模型试验和数值模型及修正

4.3.1　模型试验

本试验研究的半潜式钻井平台的主要尺寸和静水力参数见表4.4。

表4.4　主要尺寸和静水力参数

参数		工作工况	自存工况
吃水/m		17.50	15.50
排水量/t		40 513.00	38 551.00
重心位置/m	LCG	0.06	0.05
	TCG	0.00	0.00
	VCG	22.52	23.41

表 4.4(续)

参数		工作工况	自存工况
浮心位置/m	LCB	0.05	0.04
	TCB	0.00	0.00
	VCB	6.92	6.43
回转半径/m	R_{xx}	30.30	29.90
	R_{yy}	30.80	31.60
	R_{zz}	39.80	34.50

1. 风洞试验

风洞试验是在中国船舶重工集团公司(以下简称"中船重工")702 研究所的风洞实验室进行的。风洞试验模型几何尺寸比例为 1:130,主要尺寸见表 4.5;模型的主要材料为 ABS 塑料。试验中,主要进行了 3 个吃水工况,即拖航工况(9.75 m)、工作工况(17.5 m)和自存工况(15.5 m)。本章运用了自存工况下的风洞试验结果。

表 4.5　平台风洞试验模型主要尺寸

描述	全尺寸	模型比例
总长/m	125.00	0.961 5
总宽/m	90.00	0.692 3
总高/m	100.00	0.769 2
浮箱长度/m	104.50	0.803 8
浮箱宽度/m	70.50	0.542 3
自存工况吃水/m	15.50	0.119 2
工作工况吃水/m	17.50	0.134 6
拖航工况吃水/m	9.75	0.075 0

试验中主要使用的仪器与设备如下。

(1)大比例低速风洞

风洞实验室的主要尺寸为 8.5 m × 3 m × 3 m(长×宽×高),可做风速 3～93 m/s,紊流强度为 0.1%。

(2)热线风速仪

使用一套热线风速仪(A Hot-Wire Anemometer, HWA)来测量风洞中模拟的风剖面;HWA 系统包含了 12 个连续温度仪频道(Constant Temperature Anemometer, CTA)、一个自动标定器、一个精度为 0.1 m 的热线探测仪布置三维转换系统;每个 CTA 频道上限到 100 kHz,标定的有效速度为 0.02～300 m/s。探测仪标定、探测仪布置、数据取样和主要数据处理都由计算机自动完成。

(3)载荷传感器

1 个包含 6 个分量的应变天平来测定模型上气动力和力矩。

（4）数据采样系统

数据采样系统包括 1 台计算机和型号为 DH – 5929 的多通道动态数据采样仪器,在计算机的命令下,每个频道的高速 A/D 转换器用来数据采集和数据分析。

本试验进行了 Reynolds 数试验、平吃水工况下风及流载荷试验和倾斜工况下风和流载荷试验。其中 Reynolds 数试验在 0°和 180°载荷方向上进行,进行了多组风速情况下的试验来评估考虑风速的影响。本章主要运用平吃水工况下的试验结果,在这个工况下风和流的测试方向为 0 ~ 360°,间隔为 10°。

试验设计满足了几何相似、动力学相似（Kinetic similarity）和动态相似（Dynamic similarity）,试验方法如下。

（1）大气层边缘的模拟

在中心齐平安装一个相对较小盘的大尺寸地板来模拟海平面;三角发电机和粗糙立方块安装在地板的前面来模拟大气边界层的必要特性。

（2）风和流载荷的测量

模型连接到应变天平上,旋转中心叠加到转盘中心,转盘与地板之间有较小的缝隙,这样通过转动转盘来改变模型承受的风载荷方向。在给定的风和流载荷方向的情况下,风与流载荷和风与流载荷无量纲系数就可以通过应变天平采集到。

（3）数据采集

在所有工况下,风和流载荷要求电脑控制的探测系统自动获取。当风速稳定后,在 500 Hz 的速度下采集 4 096 次数据,也就是数据是在 8.192 s 的时间内,每 2 ms 采集一次。

平台的坐标系满足右手定则,如图 4.3 所示。载荷量纲系数表达式如下:

$$X' = \frac{X}{0.5\rho V^2 L^2} \qquad \tilde{M} = \frac{M}{0.5\rho V^2 L^3} \quad \text{纵向力与纵摇力矩}$$

$$Y' = \frac{Y}{0.5\rho V^2 L^2} \qquad K' = \frac{K}{0.5\rho V^2 L^3} \quad \text{横向力与横摇力矩}$$

$$Z' = \frac{Z}{0.5\rho V^2 L^2} \qquad N' = \frac{N}{0.5\rho V^2 L^3} \quad \text{垂向力与艏摇力矩}$$

式中　L——浮箱的长度;

　　　V——参考风速;

　　　ρ——流体密度。

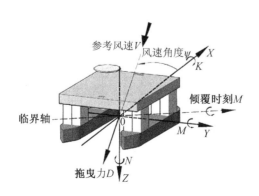

图 4.3　平台坐标系统

考虑 Reynolds 的影响,在 0°和 180°载荷方向上进行了多组试验,结果如图 4.4、图 4.5 所示。

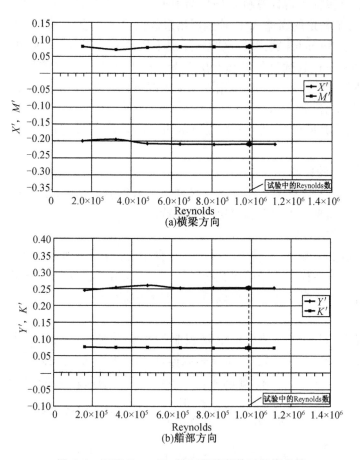

(a)横梁方向

(b)艏部方向

图 4.4　不同 Reynolds 数下风载荷的无量纲参数

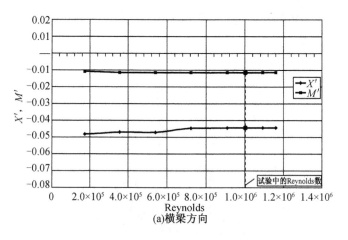

(a)横梁方向

图 4.5　不同 Reynolds 数下流载荷的无量纲参数

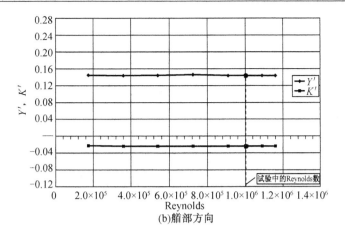

(b)艏部方向

图 4.5(续)

　　试验中采用了风速为 51.5 m/s 的 NPD 谱来模拟风谱,数值模拟的 NPD 谱与 3 次实测的 NPD 非常接近,如图 4.6 所示。图 4.7 为试验模型与风场照片图。

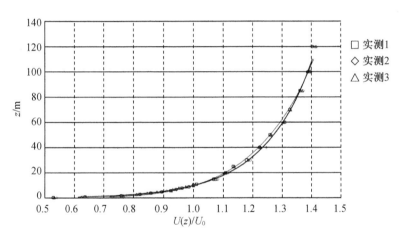

图 4.6　试验测量与数值模拟风剖面

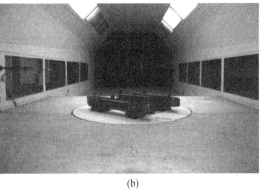

(a)　　　　　　　　　　　　　　　(b)

图 4.7　试验模型与风场

2. 水池试验

模型是通过 4 个对称的水平锚链系统固定在水池中,锚链连接在平台基线上 0.77 m (实际模型 29.94 m)处。每根锚链由 2 mm 大力马线(dynema line)连接弹簧,固定在水池壁上。锚链的系统刚度,通过 X 和 Y 方向上的回复力来测定,如图 4.8 所示。水池试验模型采用 1:38.9 的几何比,具体参数见表 4.6。

图 4.8 试验模型与锚泊固定系统

表 4.6 平台水池试验模型参数

描述	原型	模型
推进器尺寸 /mm	3 500.00	90.000
浮箱长度 /m	104.50	2.687
总宽 /m	70.50	1.813
浮箱宽度/m	16.50	0.424
浮箱高度/m	10.05	0.258
立柱截面尺寸/m	15.50	0.399
立柱水面积/m²	238.00	0.157
立柱中心间距/m	54.00	1.389
浮箱中心间距/m	37.50	0.964
纵向立柱间距/m	55.00	1.414
主甲板高度/m	37.55	0.966
双层底高度/m	29.55	0.760

模型如图 4.9、图 4.10 所示,由图可以看出试验中的负气隙很大,波浪砰击现象突出。

4.3.2 数值模型

1. 面元模型

数学模型是在 ANSYS – AWQA 中进行数值模拟,在 ANSYS 中进行建模。图 4.11 中给出了平台面元模型的网格划分情况。水下部分的最大网格尺寸为 1.9 m,为了减少模型的单元数量,在不影响运动响应分析精度的情况下,甲板箱体单元的最大网格为 4 m。

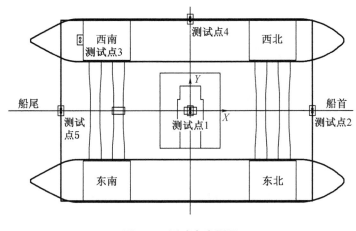

图 4.9　测试点布置图

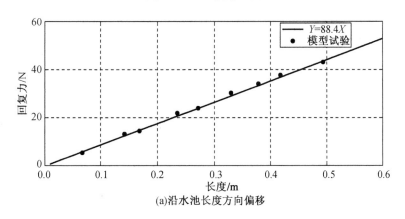

(a)沿水池长度方向偏移

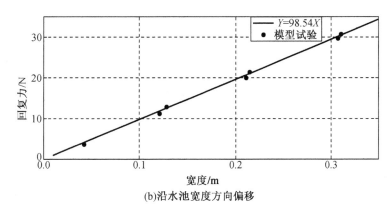

(b)沿水池宽度方向偏移

图 4.10　试验模型锚泊系统回复力

2. 黏性阻尼单元

为了精确地模拟平台的运动响应,对浮箱、撑杆和立柱建立了 Tubular 与 Disc 单元来计算 Morison 载荷的影响,进而考虑了结构的黏性阻尼。由于这些结构的排水体积已经在面元模型里面考虑进去,所以在创建 Morison 模型时,其截面尺寸缩小了 100 倍,而计算拖曳力系数同时放大了100倍,保证其拖曳力的载荷不受影响。

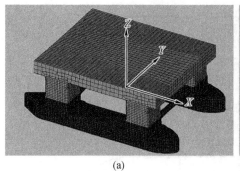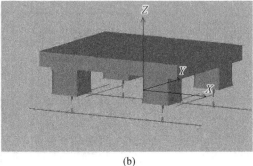

图4.11 面元单元模型和 Tubular 单元、Disk 单元模型

在创建 Morison 模型时,其截面尺寸是根据平台浮箱、撑杆和立柱的不同截面尺寸创建了多个横向与垂向的单元。图4.11给出了 Tubular 单元和 Disk 单元的图示。

3. 锚泊系统和推进器 DP3 的数值模拟

根据试验中测试出的锚泊系统线性刚度,运用弹簧单元模拟了试验中的锚泊系统。根据水池试验,锚链连接在平台立柱的四个角。锚链系统布置如图4.12(a)所示。

平台在自存工况下,使用推进器辅助锚泊系统定位(Automated Thruster Assist,ATA)。为了便于数值模拟,推进器是根据平均环境载荷优化出的最大的推力及推力的方向。

4. 平台气隙的关注点布置

根据平台的左右对称性,平台气隙的观测点取平台左舷部分的19个位置。其坐标及相对于平台位置如图4.12(b)所示。本节重点考虑了平台在船尾部的3个关注点,即 P81301、P81311 和 P81331。

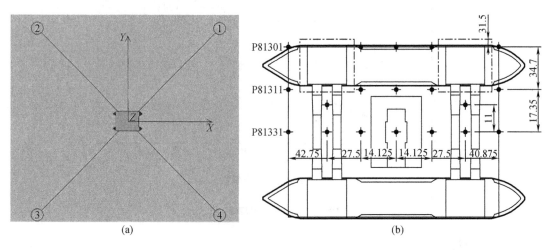

图4.12 试验简易锚泊系统布置和甲板箱底部气隙关注点位置(单位:cm)

4.3.3　修正的数值模型与试验结果的对比

辐射阻尼是描述流固耦合作用的固有阻尼,而黏滞曳力既是结构运动的阻尼力也是激振力。因此黏滞曳力和辐射阻尼在平台运动响应分析中是不可缺少的部分,而且彼此不能替代。

1. 双阻尼修正法

本书提出一种利用水池试验结果,通过调整数值模型的黏滞曳力和辐射阻尼,来精确数值模拟半潜式平台运动响应的方法——双阻尼修正法,可以达到更精确模拟平台运动响应实际情况的目的。具体做法如下。

(1)首先通过 ANSYS – AWQA 有限元软件根据平台尺寸建立数学模型;

(2)然后对平台进行简易水池模型试验,测得平台的运动响应;

(3)接着运用数学模型模拟与水池试验完全一样的工况和简易锚泊系统,通过调整平台的黏滞曳力和辐射阻尼来修正平台的数学模型,最终使得数学模型平台运动响应结果与水池试验结果一致;

(4)对平台进行风洞模型试验,得到平台准确的风和流载荷;

(5)在数值模型中把风、浪、流和完整的锚泊系统加到修正后的数学模型中,对平台进行准确的模拟分析。

2. 试验模型和数值模型的固有周期

平台在静水中的固有周期是其运动响应的一个重要指标。通过水池试验测试和数值模型模拟的平台在静水中运动的固有周期比较见表 4.7。从比较结果来看,数值模拟和试验测试的平台的垂荡、横摇与纵摇在静水中的固有周期非常相似。在大风浪工况下,浮箱端部和横撑会偶尔露出水面,这样会改变水线面面积和纵摇的回复力,从而影响到纵摇的固有频率。图 4.13、图 4.14 分别给出了平台由倾斜角 2° 和 10° 开始的纵摇的衰减试验(decay test)。从图中可以看出,大风浪情况下,平台的纵摇周期明显低于静水中的固有周期。

表 4.7　平台在静水中运动的固有周期比较

自由度	模型周期/s	数值模拟周期/s
垂荡	19.3	19.2
横摇	61.7	58.9
纵摇	50.2	49.4

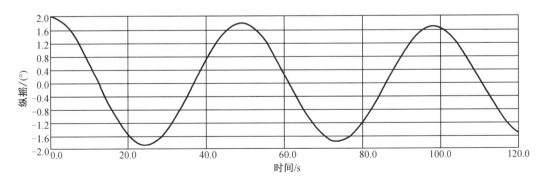

图 4.13　平台倾斜 2°下的纵摇衰减试验

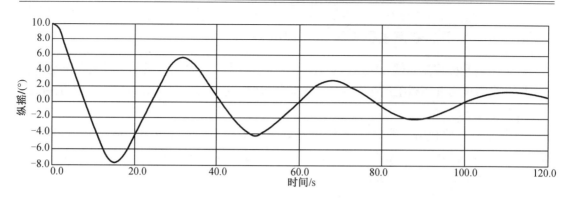

图 4.14　平台倾斜 10°下的纵摇衰减试验

3. 黏滞曳力和辐射阻尼

根据 DNV – RP – C205(2010)和结构的几何尺寸,Morison 单元取得恰当的拖曳力系数,对于 Disc 单元,在水平和垂直方向上取得不同的系数,运用 Morison 单元和 Disc 单元来调整数值模型。

虽然软件 AQWA 在时域中可以计算每步的实际吃水、倾斜情况下的静水力和入射波力(Froude-Krylov forces),但是关于辐射的部分都是基于初始频域的结果,也就是说波浪的辐射是根据平台的初始位置来计算的。在自存工况下水池试验和时域中的数值模拟中,浮箱和横撑有时露出水面,而且波浪的辐射受浮箱和横撑是否部分露出水面的影响很大。所以波浪辐射和衍射明显低于在浮箱和横撑完全沉没在水中的值。为此本书通过增加辐射阻尼,来修正平台的数值模型。针对试验中使用的一种工况($H_S = 17.28$ m,$T_Z = 16.5$ s),通过多组模拟比较,根据与水池试验结果比较最后取 3×10^9 N · m/(rad · s^{-1})作为增加纵摇的辐射阻尼。图 4.15 中给出了 3 个不同辐射阻尼情况下的纵摇结果。

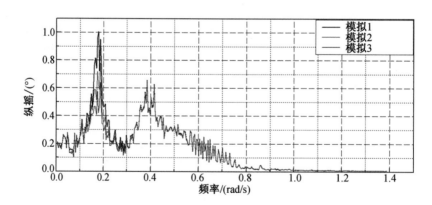

图 4.15　不同阻尼工况下的纵摇响应比较(工况 1:2×10^9,工况 2:3×10^9,工况 3: 4×10^9)

4. 非线性波浪的数值模拟

在水池试验和时域数值模拟中,波浪是使用 Jonswap 谱描述的波面,并对波浪面进行了校正试验。

水池试验中的波面直接用到 AQWA 中,然后生成一个波浪谱,对生成的波浪谱与水池试验中使用的波浪谱进行比较,如图 4.16 所示。由图可以看出,水池试验与数值模拟的波面谱十分接近。

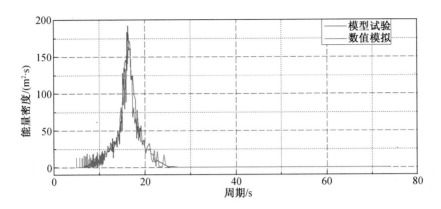

图 4.16　波面高度的能量密度比较

为了进一步比较水池使用的波浪与数值模拟波浪的相似性,本书对波浪的不对称性(波峰高度/波高)进行了比较。分别在水池试验波面和数值模拟的波面中取出 3 h 内的前 100 个最大的波浪,比较其波浪的不对称性,结果如图 4.17 所示,其中横坐标为发生的最大波最高到最低的排列顺序。其中水池试验的波浪不对称性为 0.556,数值模拟的波浪的不对称性为 0.548,两者相差了 1.5%。

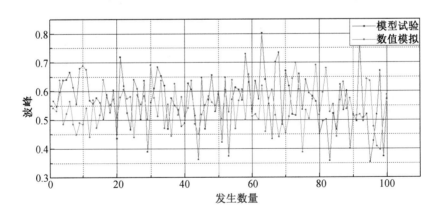

图 4.17　试验和数值模拟的波浪不对称性比较

5. 锚泊系统的数值模拟

根据水池试验测得的锚泊系统的线性刚度,在数值模拟中运用弹簧单元来模拟锚泊系统。数值模拟计算出锚泊系统的水平锚链张力与水池试验在相同工况下测得锚链张力进行了比较,结果如图 4.18 所示。由结果可以看出,锚泊系统的数值模拟与水池试验非常相近。

6. 平台运动响应的模拟和纵摇与垂荡的耦合

通过调整后的数值模型,在时域范围内进行了数值模拟平台的运动,并对模拟结果与水池试验结果进行了比较。图 4.19 和图 4.20 中在时域和频域内给出了平台在尾迎浪工况下的纵摇和垂荡运动响应,并与水池试验结果进行了对比。由比较结果可以看出,$3 \times 10^9 \, \text{N} \cdot \text{m} / (\text{rad} \cdot \text{s}^{-1})$ 作为增加纵摇的辐射阻尼的数值模型模拟的纵摇结果与水池试验结果非常相近,但是在垂荡运动方面,水池试验结果在平台纵摇周期附近较大,受纵摇影响较大。

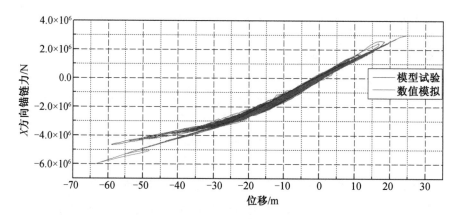

图 4.18　锚泊系统在 X 方向上的受力大小比较

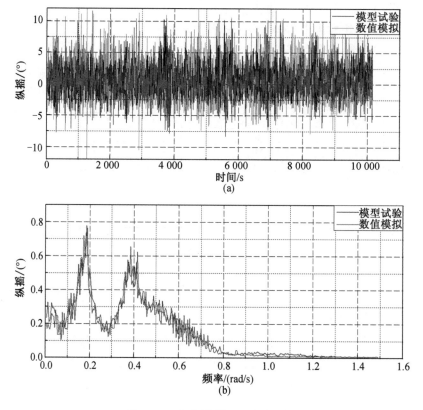

图 4.19　平台纵摇运动响应比较

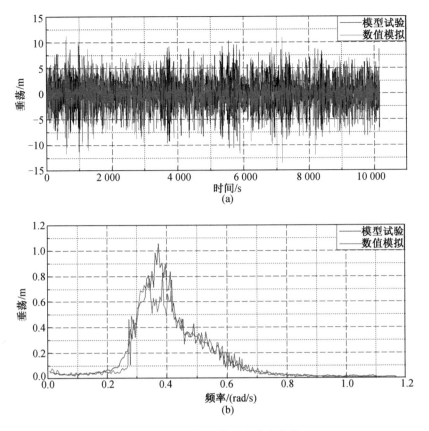

图 4.20　平台垂荡运动响应比较

由于在较恶劣海况下,平台的纵摇周期会降低。纵摇周期会接近垂荡周期的 2 倍。图 4.21 为平台在波高 8 m、周期 19.4 s 的规则波作用下的纵摇与垂荡时域图,平台的纵摇周期接近垂荡周期的 2 倍。在这种情况下,平台气隙受垂荡和纵摇共同作用,会加剧平台的气隙响应,如图 4.22 所示,在一个波浪情况下,平台气隙较大;但在下一个波浪情况下,平台气隙会非常小。

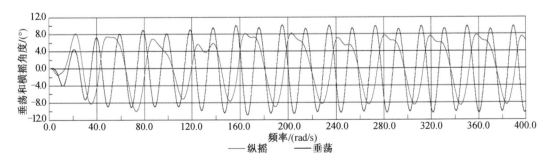

图 4.21　平台垂荡和纵摇运动响应的耦合

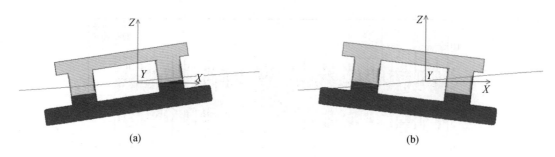

图 4.22 平台垂荡与纵摇运动耦合后气隙响应

通过对数值模型和试验模型的结果比较可以看出,模型的固有频率、波浪、锚泊系统和平台的运动响应都非常相近。修正好的数值模型可以较好地模拟平台的运动响应。

4.4 水动力性能分析环境条件

半潜式平台运动响应,特别是自存工况下的运动响应对平台结构强度、人员安全及工作环境起到决定性作用。由于半潜式平台的工作环境和地域特殊,平台承受的主要载荷包括风、浪、流、冰雪和地震等。分析半潜式平台动力响应的方法主要有两种:切片理论和三维势流理论。切片理论的研究始于 20 世纪 50 年代末期,并在此后 20 年间得到快速发展。切片理论相对简单,能提供较好的精度,因此被广泛应用,而且在不断地改进中。然而,这一理论基于线性假设,故存在着诸多缺点:切片理论忽略了浮体的三维效应,原则上只能应用于细长体在一定频率波浪下的运动响应,对于浮体表面的压力分布计算不够准确。鉴于切片理论的诸多不足,近年来浮体表面压力分布不规则性及三维势流理论在大型海洋结构物上的运用变得越来越广泛,国际上各大船级社都使用三维势流理论船舶运动和载荷的预报程序。

自存工况是指平台能够承受的最大环境载荷。对于自存工况环境组合应不少于 100 年一遇的环境条件。根据挪威船级社(DNV)DNV – OS – C101 规范中的规定,自存工况不同环境条件的组合见表 4.8。

表 4.8 自存工况下环境条件组合

组合方案	风	波浪	流	冰	海面
1	100 年一遇	100 年一遇	10 年一遇	无	100 年一遇
2	10 年一遇	10 年一遇	100 年一遇	无	100 年一遇
3	10 年一遇	10 年一遇	10 年一遇	100 年一遇	平均海面

本章运用三维势流理论结合半经验 Morison 方程的方法分析了自存工况下半潜式平台运动响应,得到平台的设计波。以半潜式海洋钻井平台为例,分析波浪载荷作用下平台的运动响应,并运用短期预报方法,对平台的运动加速度、位移、气隙、二阶漂移力及平台的设

计波进行了预报分析,并对半潜式海洋平台的运动特性进行了分析。

4.4.1　海浪有义波高与周期的 CMA 联系模型

由于海洋环境中随机波浪的复杂性,波浪的波高和周期有非常多的组合。在 DNV 的 DNV – RP – C205 规范（Environmental Condition and Environmental Loads,2010）中给出的北大西洋 10 万个随机波波浪中,我们可以发现波浪的波高和周期有一定的关系,满足一定的分布。本书运用 Weibull 分布来描述波浪波高与周期的分布情况。

根据 Bitner-Gregersen 和 Haver 提出的 3 – 参数(位置、形状和尺度参数)Weibull 分布来描述波浪有义波高的分布密度函数:

$$f_{H_S}(h) = \frac{\beta_{H_S}}{\alpha_{H_S}} \left(\frac{h - \gamma_{H_S}}{\alpha_{H_S}} \right)^{\beta_{H_S} - 1} \cdot \exp\left[-\left(\frac{h - \gamma_{H_S}}{\alpha_{H_S}} \right)^{\beta_{H_S}} \right] \tag{4.1}$$

用对数分布函数来描述波浪跨零周期与有义波高的联合分布密度函数:

$$f_{T_{Z/H_S}}(t/h) = \frac{1}{\sigma t \sqrt{2\pi}} \cdot \exp\left[-\frac{(\ln t - \mu)^2}{2\sigma} \right] \tag{4.2}$$

Bitner-Gregersen 提出的北大西洋相关波浪平均值和标准差参数表达式如下:

$$\mu = E[\ln T_Z] = a_0 + a_1 h^{a_2}$$
$$\sigma = std[\ln T_Z] = b_0 + b_1 e^{b_2 h} \tag{4.3}$$

其中相应的参数见表4.9。

表 4.9　北大西洋波浪分布参数

北大西洋波浪分布参数					
a_0	0.700	b_0	0.133 4	α_{H_S}	3.041
a_1	1.270	b_1	0.026 4	β_{H_S}	1.484
a_2	0.131	b_2	– 0.190 6	γ_{H_S}	0.661

4.4.2　波浪有义波高与跨零周期等概率曲线

根据 DNV – RP – C205 规范,本书采用 IFROM 方法来求解有义波高与跨零周期的 100 年一遇的等概率曲线。

有义波高与周期的联合概率密度函数如下:

$$f_{T_{Z/H_S}}(t/h) = f_{H_S}(h) \cdot f_{T_{Z/H_S}}(t/h) \tag{4.4}$$

将其转化成标准正态分布:

$$\Phi(u_1) = F_{H_S}(h_S), \Phi(u_2) = F_{T_{Z/H_S}}(t_Z) \tag{4.5}$$

观察 3 h 时间跨度为一海况的 100 年一遇的海况概率应满足:

$$\sqrt{u_1^2 + u_2^2} = -\Phi^{-1}\left(\frac{1}{100 \times 365 \times 8} \right) = 4.5 \tag{4.6}$$

转化成有义波高和跨零周期的 100 年一遇的等概率曲线:

$$h_S = F_{H_S}^{-1}(\Phi(u_1))$$

$$t_Z = F_{T_Z/H_S}^{-1}(\Phi(u_2)) \tag{4.7}$$

根据此方法可以得到北大西洋的 1 年、10 年、100 年和 10 000 年的有义波高 H_S 和跨零周期 T_Z 的等概率曲线,如图 4.23 所示。

4.4.3 极限波陡

波陡与波长、波高有关,表示波动的平均斜率,当波陡达到一定值时,波面就会发生破碎,即大于一定波陡的波浪是不存在的。

由于波浪在波高与周期达到一定关系时,波浪就会发生碎波现象。波陡有周期和波高可定义如下:

$$S_S = \frac{2\pi H_S}{gT_Z^2} \tag{4.8}$$

根据 DNV – RP – C205 规范规定,波浪波陡应满足:

$$S_S = 1/10 \quad \text{当} \ T_Z \leqslant 6 \ \text{s}$$
$$S_S = 1/15 \quad \text{当} \ T_Z \geqslant 12 \ \text{s} \tag{4.9}$$

根据规范规定,在满足极限波陡条件下,周期与波高的关系如图 4.23 所示。

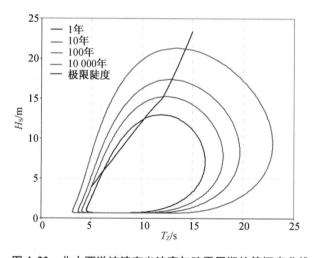

图 4.23 北大西洋波浪有义波高与跨零周期的等概率曲线

4.5　半潜式平台运动响应分析方法

在半潜式平台的设计工作中,对半潜式平台在一定波浪载荷作用下的动态响应分析是十分必要的。因此,对半潜式平台在波浪载荷作用下的运动特点及其影响因素分析的研究具有重要价值。

波浪对海洋结构物的作用力主要包括一阶波浪力和二阶波浪力。其中一阶波浪力为线性波浪力,二阶波浪力为非线性波浪力。在一阶力的作用下,海洋结构物能够产生波频效应,其特征频率与波浪的相一致,二阶波浪力能够引起结构物的慢漂运动。

在比较复杂的海况下,波浪的非线性效应较大,二阶波浪力会有比较明显的增加,但是与一阶波浪力比起来,其值在量级上还是比较小的。在系泊状态下,由于平台本身在水平方向上基本没有回复力,主要的回复力由平台定位系统提供,其纵荡、横荡、艏摇三个水平方向上的运动会产生比较大的慢漂。由于平台水平方向上的运动频率与二阶慢漂力相差不大,极易产生共振。在垂荡、横摇和纵摇三个竖直方向上,平台具有较大的回复力,这个回复力要比二阶慢漂力大很多,而且回复力的自振周期远离二阶慢漂力的周期,二者不易发生共振。因此,对于平台垂向上的运动模态来说,二阶慢漂力的影响并不大。

4.5.1　平台六个自由度上运动的幅值响应算子(RAO's)、关注点加速度及位移分析

半潜式平台在横荡等六个自由度方向上的运动基本特性,与平台的外形尺寸、结构形式及重心位置等许多因素有关。平台运动特性关系到平台的气隙、锚泊/DP 定位分析设计及结构强度分析。本章运用 DNV 开发的 SESAM 软件中的 GeniE 模块建模,HydroD 模块对平台的运动响应在频域内进行了分析计算,并运用 Postresp 模块进行结果处理和短期预报。

SESAM 是 DNV 于 1969 年发布的一款强度分析软件,是全世界海洋工程事业优选的结构设计分析工具。SESAM 软件包括三部分:深水浮式系统锚泊耦合分析(DeepC),固定式海洋平台板、梁结构分析(GeniE),船舶与移动式海洋平台的水动力分析(HydroD)。DNV 的 SESAM 的 Wadam 软件的核心是美国麻省理工学院开发的用于评估无航速浮体流体动力性能的计算软件 WAMIT,采用基于自由面 Green 函数方法的频域 0 航速理论。具体计算的简要步骤如下。

(1)在 SESAM 的 GeniE 模块(或 PATRANPRE)中建立船体的湿表面模型及不同工况下的质量模型;

(2)在 SESAM 的 PRESEL 模块中将三维面元模型和质量模型进行超单元组装;

(3)在 SESAM 的 HydroD 模块中定义计算所需参数;

(4)运行 Wadam 进行传递函数的计算;

(5)在 SESAM 的 Postresp 模块中结合波浪散布图等进行长期或短期预报;

(6)通过 SESAM 的 Sestra 模块运用计算和输入的载荷对船体结构强度与疲劳进行计算分析。

SESAM 自最初发布已经走过了 50 多年,对世界的船舶与海洋工程界做出了卓越的贡献。

4.5.2　平台气隙分析

气隙是指半潜式平台甲板箱底部、救生艇底部等部位与水面之间的垂向间距。平台气隙是平台设计的一个重要内容,气隙的分析结果关系到平台结构设计中是否要计算平台结构的波浪砰击分析。当气隙小于 0,意味着波浪砰击了平台水面上的结构,砰击严重会导致平台结构损坏,威胁平台和人员的安全。所以一旦发生负气隙,就要对结构强度进行评级校核,并对特殊部位(如救生艇和舷梯等)进行安全分析,以确定是否满足人员工作安全的要求。

本书利用 HydroD 和 Postresp 软件,根据设计出的 100 年一遇的海况对半潜式平台甲板箱底板进行短期预报分析,由于是在频域内进行预报分析,所以根据 DNV 规范要求考虑了波浪的不对称性因素影响,对甲板底板进行了气隙分析。

4.5.3 波浪载荷的二阶漂移力

对半潜式平台的极限强度进行计算时,波浪的二阶漂移力对计算结果影响不大,但是对平台的锚泊分析和DP动力定位分析,波浪的二阶漂移力对计算结果影响较大。波浪二阶漂移力是平台进行锚泊系统定位能力分析的基本输入参数。本书利用HydroD进行计算,根据计算的100年一遇的海况利用Postresp软件对波浪二阶平均漂移力进行短期预报。

4.6 半潜式平台运动响应数值分析算例

本节对半潜式海洋平台在300 m的工作水深下的运动响应和气隙响应进行短期预报和分析。

4.6.1 海况设计

该半潜式平台采用北大西洋海况进行计算分析,运用CMA和IFORM方法,并结合波浪的极限波陡计算设计了北大西洋100年一遇的22个海况,见表4.10。

表4.10 北大西洋100年一遇的22个海况

ID	H_S/m	T_Z/s	T_P/s	γ	ID	H_S/m	T_Z/s	T_P/s	γ
JONS 1	5.62	6.0	7.45	5.00	JONS 12	14.16	11.5	14.71	3.51
JONS 2	6.34	6.5	8.07	5.00	JONS 13	14.98	12.0	15.49	3.15
JONS 3	7.14	7.0	8.69	5.00	JONS 14	16.25	12.5	16.14	3.14
JONS 4	7.96	7.5	9.31	5.00	JONS 15	17.30	13.0	16.87	2.96
JONS 5	8.78	8.0	9.94	5.00	JONS 16	17.30	13.5	17.98	2.18
JONS 6	9.60	8.5	10.56	5.00	JONS 17	17.30	14.0	19.09	1.60
JONS 7	10.42	9.0	11.18	5.00	JONS 18	17.00	15.0	21.07	1.00
JONS 8	11.22	9.5	11.80	5.00	JONS 19	16.00	16.0	22.48	1.00
JONS 9	12.00	10.0	12.42	5.00	JONS 20	15.00	17.0	23.88	1.00
JONS 10	12.76	10.5	13.13	4.58	JONS 21	13.50	18.0	25.29	1.00
JONS 11	13.48	11.0	13.91	4.03	JONS 22	11.00	19.0	26.69	1.00

根据DNV-RP-C205规范规定,峰值周期T_P与跨零周期T_Z关系如下:

$$T_Z/T_P = 0.667\ 3 + 0.053\ 037\gamma - 0.006\ 230\gamma^2 + 0.000\ 334\ 1\gamma^3 \tag{4.10}$$

其中γ定义如下:

$$\gamma = 5 \text{ for } \frac{T_P}{\sqrt{H_S}} \leqslant 3.6$$

$$\gamma = e^{5.75 - 1.15 T_P / \sqrt{H_S}} \text{ for } 3.6 \leqslant \frac{T_P}{\sqrt{H_S}} \leqslant 5$$

$$\gamma = 1 \ \text{for} \ 5 \leqslant \frac{T_\text{P}}{\sqrt{H_\text{S}}} \tag{4.11}$$

4.6.2　计算结果

本节运用 DNV 研发的 Sesam 软件在频域内进行计算分析,并运用软件中 Postrespt 模块进行了 3 h 的短期预报处理。根据 DNV – RP – C103_Column-Stabilized Unites 的规定,平台的极限强度要用 90% 概率的随机短期预报,并取波浪的不对称因子 1.1,作为波面高度修正系数。

短期预报是指运用几个小时为统计时间的统计,根据大量的实践结果显示,3 h 的短期海况的波浪幅值与半潜式平台的运动响应都服从 Rayleigh 分布,其概率分布密度函数为

$$f(x) = \frac{x}{\sigma_x^2} \exp\left(\frac{-x^2}{2\sigma_x^2}\right) \tag{4.12}$$

概率累积函数为

$$F(x) = 1 - \exp\left(\frac{-x^2}{2\sigma_x^2}\right) \tag{4.13}$$

Rayleigh 分布只有一个方差 σ^2,由响应谱 $S_j(\omega)$ 得到,如下所示:

$$\sigma^2 = \int_0^\infty S_j(\omega)\,\mathrm{d}\omega \tag{4.14}$$

即可以得到平台运动响应和波浪载荷等的预报统计值,包括有义值和均值等。分析结果如下。

1. 单位波幅下的 RAO's

在频域内,对半潜式平台进行了单位波幅的规则波下六个自由度运动响应分析,如图 4.24 至图 4.29 所示。平台的 RAO's 是平台其他运动性能研究的基础,整体运动性能评价的重要依据。波浪周期为 4 ~ 30 s,间隔为 0.5 s,方向为 0 ~ 180°。

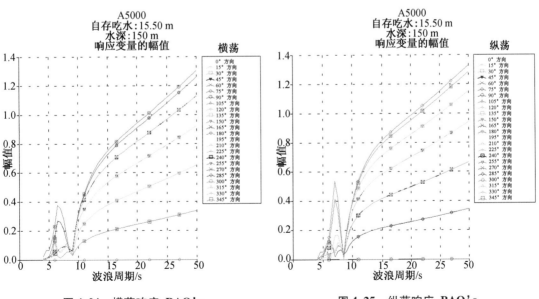

图 4.24　横荡响应,RAO's　　　　图 4.25　纵荡响应,RAO's

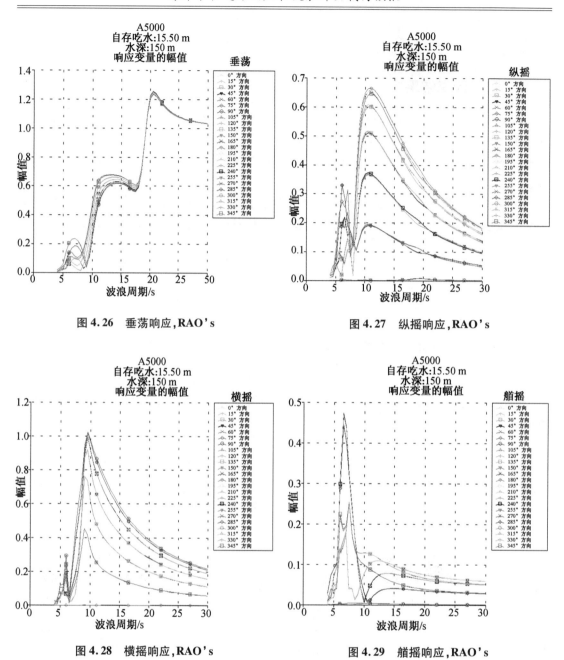

图 4.26　垂荡响应,RAO's

图 4.27　纵摇响应,RAO's

图 4.28　横摇响应,RAO's

图 4.29　艏摇响应,RAO's

从分析结果中可以看出,该平台的横荡和纵荡在周期 20 s 内响应值小于 1,在半潜式平台在自存工况下,响应不是很大。但是该平台垂荡响应的前一个峰值发生在 10 ~ 15 s,而且峰值达到了 0.66,设计较好的半潜式平台一般会小于 0.5。由表 4.7 可以看出在这个波浪周期内发生的波浪概率很大,这对平台的设计很不利。该平台可以通过增加吃水等措施来提高垂荡的运动性能。

2. 关注点的短期预报的加速度和位移

平台运动的加速度和位移是平台设备、基座等设计与平台钻井操作时重要的依据。平台运动响应关键点坐标见表 4.11,通过 3 h 短期预报结果见表 4.12。

表 4.11　平台运动响应关键点坐标

No.	描述	X/m	Y/m	Z/m
M1	钻井架顶部	0.00	0.00	105.88
M2	井架中间位置	0.00	0.00	74.72
M3	钻台中间部分	0.00	0.00	43.55
M4	主甲板中央位置	0.00	0.00	37.55
M5	低甲板中央位置	0.00	0.00	30.95
M6	左浮箱中线,后立柱中央	-27.50	27.00	5.03
M7	左浮箱中央位置	0.00	27.00	5.03
M8	左浮箱中线,前立柱中央	27.50	27.00	5.03
M9	右浮箱中线,后立柱中央	-27.50	-27.00	5.03
M10	右浮箱中央位置	0.00	-27.00	5.03
M11	右浮箱中线,前立柱中央	27.50	-27.00	5.03
M12	后左立柱中央	-27.50	27.00	19.80
M13	前左立柱中央	27.50	27.00	19.80
M14	后右立柱中央	-27.50	-27.00	19.80
M15	前右立柱中央	27.50	-27.00	19.80
M16	主甲板左后立柱中点	-27.50	27.00	37.55
M17	主甲板左舷中点位置	0.00	27.00	37.55
M18	主甲板左舷立柱中点	27.50	27.00	37.55
M19	主甲板后立柱中心连线中点	-27.50	0.00	37.55
M20	主甲板前立柱中心连线中点	27.50	0.00	37.55
M21	主甲板右后立柱中点	-27.50	-27.00	37.55
M22	主甲板右舷中点	0.00	-27.00	37.55
M23	主甲板右前立柱中点	27.50	-27.00	37.55
M24	起重吊基座中心位置	-33.70	6.50	48.52
M25	重心位置	0.00	0.00	23.41

表 4.12　自存工况下关注点预报最大位移和最大加速度

No.	Max D_X/m	Max D_Y/m	Max D_Z/m	Max A_X /(m/s^2)	Max A_Y /(m/s^2)	Max A_Z /(m/s^2)
M1	8.212	9.981	15.889	3.498	6.175	2.200
M2	9.988	9.457	15.889	2.391	4.480	2.200
M3	12.565	11.777	15.889	1.539	2.846	2.200
M4	13.292	12.349	15.889	1.488	2.557	2.200
M5	14.013	13.080	15.889	1.505	2.249	2.200

表 4.12（续）

No.	Max D_X/m	Max D_Y/m	Max D_Z/m	Max A_X /(m/s²)	Max A_Y /(m/s²)	Max A_Z /(m/s²)
M6	17.013	16.292	17.649	1.920	1.647	2.899
M7	17.013	16.271	16.854	1.920	1.542	2.588
M8	17.013	16.271	17.607	1.920	1.659	2.898
M9	16.981	16.292	17.638	1.911	1.647	2.900
M10	16.981	16.271	16.843	1.911	1.542	2.557
M11	16.981	16.271	17.585	1.911	1.659	2.893
M12	15.296	14.427	17.649	1.638	1.860	2.899
M13	15.296	14.405	17.607	1.638	1.876	2.898
M14	15.253	14.427	17.638	1.637	1.860	2.900
M15	15.253	14.405	17.585	1.637	1.876	2.893
M16	13.324	12.370	17.649	1.533	2.601	2.899
M17	13.324	12.349	16.854	1.533	2.557	2.558
M18	13.324	12.349	17.607	1.533	2.618	2.898
M19	13.292	12.370	16.971	1.488	2.601	2.639
M20	13.292	12.349	16.896	1.488	2.618	2.624
M21	13.292	12.370	17.638	1.535	2.601	2.900
M22	13.292	12.349	16.843	1.535	2.349	2.557
M23	13.292	12.349	17.585	1.535	2.349	2.893
M24	12.179	11.353	17.342	1.633	1.353	2.785
M25	14.861	13.971	15.889	1.563	1.971	2.200

根据分析结果可以发现，井架位置的横向加速度很大，不能够用规范中推荐的 $0.3g$ 的加速度作为基座等局部强度分析的惯性加速度，其他位置可以用规范推荐的 $0.3g$ 的加速度作为局部强度分析的惯性加速度。各关注点位置的垂向加速度变化不大，最大为 2.9 m/s²，发生在立柱中心位置处；最小为 2.2 m/s²，发生在平台中线位置处。

3. 关注点气隙的短期预报

对于半潜式平台，气隙是平台的一个重要指标。气隙影响到船体结构强度的校核和人员安全。本算例主要以甲板箱底部的气隙为计算分析对象，在甲板箱底部取 20 个点进行分析比较，取点如图 4.30 所示，分析结果见表 4.13。

从分析结果可以看出，平台甲板箱底部有严重的负气隙现象，最小的负气隙发生在关注点 PDB1 和 PDB17 位置，分别为 −4.60 m 和 −4.63 m，也就是说波浪在浮箱首尾部分有严重的波浪砰击现象。所以在发生波浪砰击现象位置，在平台结构设计与强度分析过程中要充分考虑到波浪的砰击载荷。

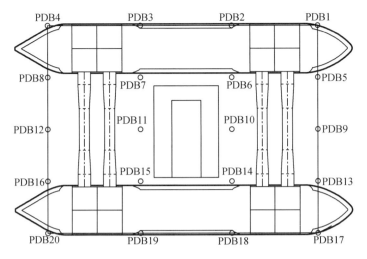

图 4.30　甲板气隙关注点位置示意图

表 4.13　自存工况下关注点处的气隙

关注点	描述	气隙/m	关注点	描述	气隙/m
PDB1	甲板关注点 1	-4.60	PDB11	甲板关注点 11	0.10
PDB2	甲板关注点 2	-0.41	PDB12	甲板关注点 12	-0.66
PDB3	甲板关注点 3	-0.45	PDB13	甲板关注点 13	-3.48
PDB4	甲板关注点 4	-4.34	PDB14	甲板关注点 14	-1.16
PDB5	甲板关注点 5	-3.46	PDB15	甲板关注点 15	-1.15
PDB6	甲板关注点 6	-1.14	PDB16	甲板关注点 16	-3.25
PDB7	甲板关注点 7	-1.16	PDB17	甲板关注点 17	-4.63
PDB8	甲板关注点 8	-3.25	PDB18	甲板关注点 18	-0.43
PDB9	甲板关注点 9	-0.44	PDB19	甲板关注点 19	-0.43
PDB10	甲板关注点 10	0.11	PDB20	甲板关注点 20	-4.31

　　如此严重的砰击现象,平台甲板箱底部发生波浪砰击处结构需要进行局部加强。但是因为运用频域分析平台的气隙时,风、流和锚泊系统等多种因素很难精准确定,这种做法存在一定的保守因素。为了更精确地模拟平台波浪的气隙和砰击载荷,本书在时域范围内较准确地考虑风、流和锚泊系统等因素,对平台气隙和波浪砰击载荷进行了进一步分析,为平台的局部加强提供很好的依据。

4.7　本章小结

本章主要工作如下。

(1)介绍了半潜式平台所受的环境载荷中的风、浪、流载荷。针对波浪载荷的随机性,采用波浪谱来描述,简要介绍了波浪对半潜式平台的作用力和工程中常规处理方法。

（2）介绍了目前工程界关于半潜式平台运动响应关注的内容和主要的数值模拟方法,以及本书运用的三维势流理论与半经验 Morison 方程相结合方法。

（3）以半潜式海洋平台为例,计算了平台的运动响应和气隙响应,由分析结果可以看出半潜式海洋平台的负气隙现象非常严重,最小负气隙达到了 -4.63 m,这将导致平台甲板箱承受严重的波浪砰击。

第5章 典型半潜式平台气隙
响应分析

5.1 自存工况平台气隙影响的
参数敏感性分析

自存工况因为环境恶劣、运动响应大、结构应力高,容易产生负气隙现象,负气隙是平台结构强度设计的前提条件。工程界对半潜式平台风与流载荷对平台气隙的影响一般是忽略的,并且规范中对风和流载荷对平台气隙的影响也没有明确的规定。根据 DNV 规范 DNV – OS – C103(2012)中的规定,半潜式平台气隙的数值模拟分析中应考虑的因素包括波浪与船体的相互作用;波浪的不对称性;平台的刚体运动;锚泊、立管系统等的影响;最大和最小吃水。国内外学术界就风载荷与流载荷对半潜式平台气隙的影响研究很少,多主要集中于对波浪和波浪载荷的正确模拟上。

本章深入研究了风、流和锚泊系统对平台气隙响应的敏感性,研究结果可以指导平台设计过程中风、流和锚泊系统对平台气隙的影响是否可以忽略;提出了一种模型试验和数值模拟相结合的方法(双阻尼修正法)来更准确地分析平台气隙,该方法可以更准确地同时考虑风、流和锚泊系统对平台气隙的影响。具体内容:首先通过对半潜式平台的风洞试验和水池试验,得到平台承受的准确风和流载荷;其次通过水池试验的结果来调整平台数值模型的辐射阻尼和黏性阻尼等运动特性;再次运用调整以后的数值模型和风洞试验的结果,来分析风、流和锚泊系统对半潜式平台气隙的影响。文中通过发生较大负气隙的半潜式海洋平台为例说明了这种分析方法,并通过这种方法研究了风、流和锚泊系统对平台气隙的敏感性。

5.2 风速和风向敏感性

运用调整平台黏性阻尼和辐射阻尼后的数值模型,在时域内对平台气隙进行敏感性分析,对风载荷的方向和风速大小的影响也进行了分析研究。

5.2.1 环境条件

为了更好地研究风载荷情况下对平台气隙的研究,我们分析了 5 个工况,环境条件的详细信息见表 5.1。

表 5.1　各工况下环境条件

工况	风速/(m/s)	风向/(°)	浪向/(°)	波高 H_s/m	周期 T_Z/s
工况 01	37	0	0	17.28	16.5
工况 02	20	0	0	17.28	16.5
工况 03	0.01	0	0	17.28	16.5
工况 04	37	30	0	17.28	16.5
工况 05	37	330	0	17.28	16.5

风载荷是通过风洞试验得到的系数。根据风载荷系数来计算风载荷,其中风速是使用风谱来描述的。通过风洞试验得到的风载荷系数见表 5.2。风载荷计算公式为

$$F_j = C_j(\theta)(v - v_s)\left|(v - v_s)\right| \quad j = 1,2,3,4,5,6 \tag{5.1}$$

式中　　F_j——第 j 自由度下的风载荷;

$\quad\quad\ C_j(\theta)$——在 θ 风向下风载荷系数;

$\quad\quad\ v - v_s$——风与船体的相对速度,其中 v 和 v_s 分别是风与船体的绝对速度。

表 5.2　风洞试验测试的风载荷系数

风向	C_{FX}	C_{FY}	C_{FZ}	C_{MX}	C_{MY}	C_{MZ}
/(°)	/[N·(m·s⁻¹)⁻²]	/[N·(m·s⁻¹)⁻²]	/[N·(m·s⁻¹)⁻²]	/[N·m/(m·s⁻¹)⁻²]	/[N·m/(m·s⁻¹)⁻²]	/[N·m/(m·s⁻¹)⁻²]
0	1.86×10^3	-5.48×10^1	9.17×10^2	4.14×10^2	5.64×10^4	2.00×10^3
30	1.88×10^3	1.25×10^3	1.35×10^3	-2.91×10^4	5.19×10^4	-3.59×10^3
330	2.00×10^3	-1.32×10^3	1.17×10^3	2.53×10^4	5.66×10^4	7.59×10^3

在计算波浪载荷时,运用了 Jonswap 波浪谱来模拟随机波浪工况。根据前文中计算出来的北大西洋 100 年一遇的海况,取海况 $H_S = 17.28$、$T_Z = 16.5$ s 作为气隙分析的条件。波浪的方向同为 0°。

由于 AQWA 中模拟的自由波面是没有受到干扰的波面,在计算波浪载荷时,应对波面的辐射和衍射的影响进行研究。而在 AQWA 频域模拟波面时,考虑了波浪的衍射和辐射的影响。图 5.1 给出了在单位波幅、周期 15 s、浪向 0° 的海况下的波面受到平台结构物干扰后的波面示意图。图中点 P81311 位置处的波面高度为 0.98 m。如果某点处高度值大于 1.00,表示该处受结构物辐射和衍射影响后的波面高于未受到干扰的波面高度。

图 5.2 显示了关注点 P81311 处在周期 4 ~ 40 s 受辐射和衍射影响后波面的高度。由结果可以看出,在波浪周期低于 11 s 时,波面受辐射和衍射影响比较明显,最大处在周期 8 s 处,最大值为 2.5。而平台的垂荡周期在 19.2 s 左右,而且通过试验测得平台最容易发生负气隙的工况在平台的垂荡和纵摇的固有周期附近。也就是说在波浪周期大于 15 s 时,波浪波面受辐射和衍射的影响非常有限。本书使用的波浪周期 T_Z 为 16.5 s,所以辐射和衍射对波面的影响可以忽略。

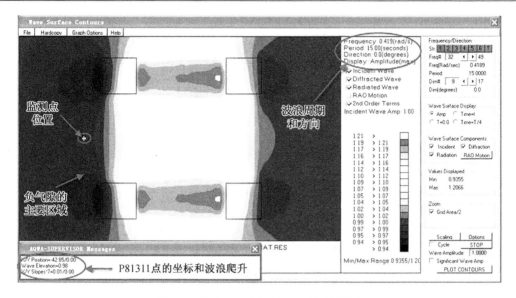

图 5.1　典型的平台衍射和辐射后的波面

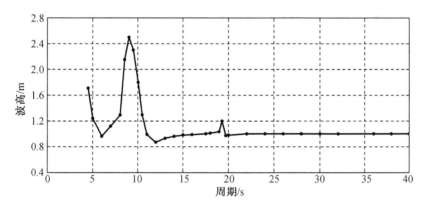

图 5.2　受辐射和衍射影响后的点 **P81331** 处的波面

5.2.2　敏感性分析

为了得到比较准确的分析结果,每一种相同的工况都分成了 20 个子工况。每一种子工况都模拟 3 h 的波浪和风载荷作用下的平台运动响应。根据 DNV 规范建议,认为这 20 个子工况分析结果满足 Gumbel 分布。取 90% 概率的 Gumbel 分布值作为该工况的最终结果。

1. 风速对平台气隙的敏感性分析

本书在工况 01、工况 02 和工况 03 中,运用不同的风速分析了平台的气隙、水质点速度,分析结果见表 5.3。各个工况下的子工况结果见表 5.4 至表 5.8。各个子工况是用不同的波浪种子来模拟不同的 3 h 波浪环境的,可以看出不同的子工况结果差别很大,每种工况给出了第一个子工况计算出来的关注点与波面的相对距离。

表 5.3 气隙分析结果

描述	90% Gumbel 分布/m			平均海拔高度/m			平均砰击数量		
位置处	P81301	P81311	P81331	P81301	P81311	P81331	P81331	P81331	P81331
工况 01	−2.703	−2.720	−2.745	12.418	12.421	12.422	0.60	0.60	0.60
工况 02	−3.077	−3.085	−3.092	11.708	11.707	11.706	0.70	0.70	0.70
工况 03	−3.389	−3.388	−3.387	11.500	11.487	11.476	1.05	1.05	1.05
工况 04	−2.745	−2.737	−2.725	12.833	12.603	12.375	0.70	0.70	0.70
工况 05	−2.557	−2.632	−2.708	12.092	12.258	12.423	0.55	0.60	0.60

　　根据分析结果可以看出,在纵摇固有周期附近,风载荷对平台气隙的影响比较明显,而在垂荡固有周期附近,风载荷对平台气隙的影响比较有限,如图 5.3、图 5.4。这就是说平台所承受的风载荷对纵摇影响比较明显,在平台纵摇固有周期附近更为突出。而平台的纵摇对平台气隙的计算有直接的影响。关于点 P81301,气隙的 90% Gumbel 概率在工况 03 比工况 01 大了 0.686 m;发生砰击的次数也比工况 01 多 0.55 次;在水平方向上的砰击载荷加剧了 23.8 kPa。也就是说如果忽略风载荷的影响,气隙会加剧 25.4%,水平方向上的压强加剧 17.5%。所以在分析半潜式平台的气隙和波浪砰击时,风载荷不能够被忽略,如果忽略风载荷的影响会过分保守。

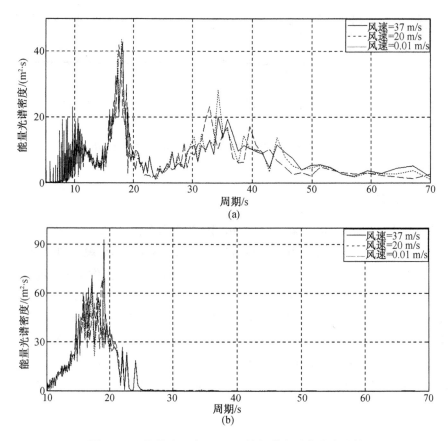

图 5.3　不同风速下点 P81301 的气隙和垂荡响应比较

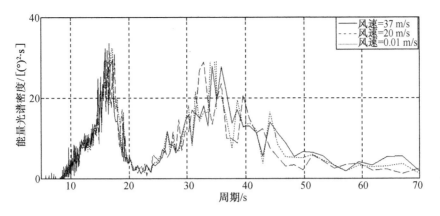

图 5.4　不同风速下平台点 P81301 的纵荡响应比较

2. 风向对平台气隙的敏感性分析

由于风和流等的影响,风与波浪的方向有一定的偏角。工况 01、工况 04 和工况 05 分别在 0°、30° 和 330° 风向下,对平台进行了气隙分析,分析结果见表 5.3。根据分析结果可以看出,在纵摇固有周期附近,风的方向对平台气隙的影响比较明显。关于点 P81301,气隙的 90% Gumbel 概率在工况 04 比工况 01 大了 0.042 m;发生砰击的次数也比工况 01 多 0.10 次;在水平方向上的砰击载荷加剧了 12.5 kPa。气隙的最大值不一定发生在风与波浪方向同向的工况下,如图 5.5 至图 5.16 及表 5.4 至表 5.8。

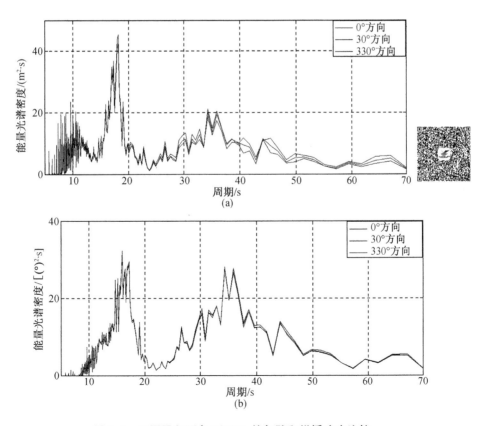

图 5.5　不同风向下点 P81301 的气隙和纵摇响应比较

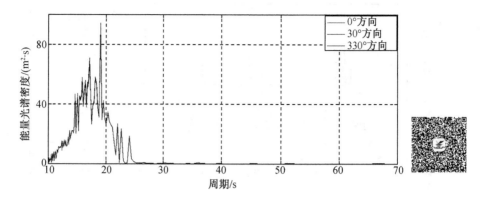

图 5.6　不同风向下点 P81301 的垂荡响应比较

表 5.4　工况 01 详细结果

载荷工况	最小气隙/m			砰击点/m			最大相对水平速度 /（m/s）			最大相对垂直速度 /（m/s）		
位置点	P81301	P81311	P81331	P81301	P81311	P81331	P81301	P81311	P81331	P81301	P81311	P81331
工况 01 - 1	-0.429	-0.453	-0.477	1.00	1.00	1.00	5.450	5.460	5.460	1.540	1.500	1.470
工况 01 - 2	0.085	0.093	0.102	0.00	0.00	0.00	0.000	0.000	0.000	0.000	0.000	0.000
工况 01 - 3	-1.900	-1.934	-1.967	2.00	2.00	2.00	7.500	7.520	7.530	4.100	4.100	4.270
工况 01 - 4	2.143	2.147	2.152	0.00	0.00	0.00	0.000	0.000	0.000	0.000	0.000	0.000
工况 01 - 5	2.415	2.409	2.404	0.00	0.00	0.00	0.000	0.000	0.000	0.000	0.000	0.000
工况 01 - 6	-1.023	-1.024	-1.024	1.00	1.00	1.00	3.670	3.670	3.680	1.710	1.700	1.690
工况 01 - 7	1.213	1.203	1.194	0.00	0.00	0.00	0.000	0.000	0.000	0.000	0.000	0.000
工况 01 - 8	1.093	1.089	1.086	0.00	0.00	0.00	0.000	0.000	0.000	0.000	0.000	0.000
工况 01 - 9	0.802	0.786	0.771	0.00	0.00	0.00	0.000	0.000	0.000	0.000	0.000	0.000
工况 01 - 10	1.508	1.517	1.527	0.00	0.00	0.00	0.000	0.000	0.000	0.000	0.000	0.000
工况 01 - 11	1.232	1.221	1.212	0.00	0.00	0.00	0.000	0.000	0.000	0.000	0.000	0.000
工况 01 - 12	1.898	1.870	1.841	0.00	0.00	0.00	0.000	0.000	0.000	0.000	0.000	0.000
工况 01 - 13	-2.661	-2.683	-2.706	2.00	2.00	2.00	8.140	8.140	8.140	2.860	2.860	2.860
工况 01 - 14	0.472	0.461	0.450	0.00	0.00	0.00	0.000	0.000	0.000	0.000	0.000	0.000
工况 01 - 15	-1.056	-1.082	-1.108	1.00	1.00	1.00	4.990	5.000	5.010	2.620	2.600	2.580
工况 01 - 16	-4.947	-4.972	-4.998	1.00	1.00	1.00	8.870	8.870	8.870	5.450	5.430	5.420
工况 01 - 17	-0.267	-0.283	-0.299	2.00	2.00	2.00	5.610	5.610	5.610	2.680	2.910	2.930
工况 01 - 18	-1.315	-1.328	-1.342	1.00	1.00	1.00	6.520	6.520	6.530	3.430	3.400	3.370
工况 01 - 19	1.895	1.881	1.867	0.00	0.00	0.00	0.000	0.000	0.000	0.000	0.000	0.000
工况 01 - 20	-0.197	-0.224	-0.252	1.00	1.00	1.00	2.060	2.070	2.140	0.730	0.760	0.780
平均值	—	—	—	0.60	0.60	0.60	—	—	—	—	—	—
90% Gumbel	-2.703	-2.720	-2.745	—	—	—	7.094	7.098	7.103	3.735	3.739	3.761

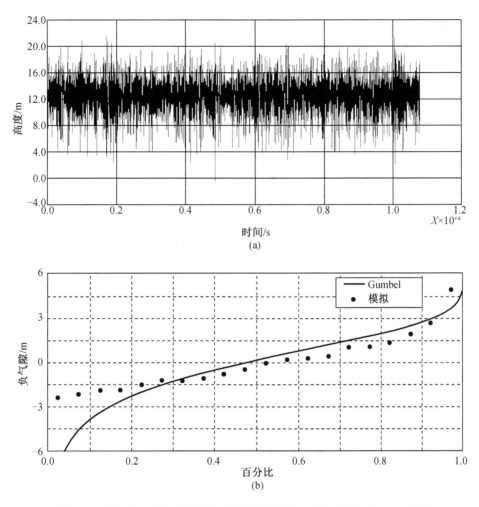

图 5.7　工况 01 – 1 下点 P81301 处的气隙运动和工况 01 下 Gumbel 分布

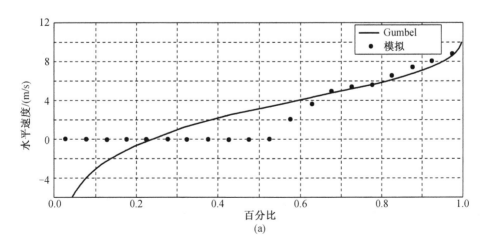

图 5.8　工况 01 下关注点 P81301 处横向和垂向速度的 Gumbel 分布

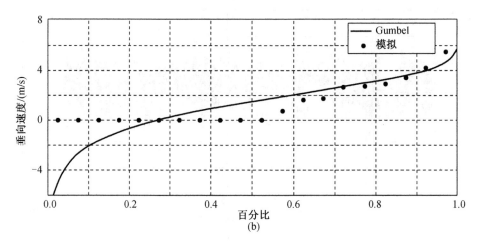

(b)

图 5.8(续)

表 5.5　工况 02 详细结果

载荷工况	最小气隙/m			砰击点/m			最大相对水平速度 /(m/s)			最大相对垂直速度 /(m/s)		
位置点	P81301	P81311	P81331	P81301	P81311	P81331	P81301	P81311	P81331	P81301	P81311	P81331
工况 02 - 1	-0.664	-0.670	-0.676	1.00	1.00	1.00	5.240	5.290	5.240	1.740	1.880	1.830
工况 02 - 2	-0.089	-0.090	-0.091	1.00	1.00	1.00	3.900	3.890	3.890	1.310	1.300	1.300
工况 02 - 3	-2.771	-2.778	-2.786	3.00	3.00	3.00	7.870	7.880	7.880	3.850	3.860	3.850
工况 02 - 4	1.509	1.514	1.520	0.00	0.00	0.00	0.000	0.000	0.000	0.000	0.000	0.000
工况 02 - 5	0.951	0.947	0.942	0.00	0.00	0.00	0.000	0.000	0.000	0.000	0.000	0.000
工况 02 - 6	-1.628	-1.630	-1.633	1.00	1.00	1.00	3.590	3.590	3.590	1.490	1.480	1.490
工况 02 - 7	0.873	0.870	0.866	0.00	0.00	0.00	0.000	0.000	0.000	0.000	0.000	0.000
工况 02 - 8	0.104	0.102	0.101	0.00	0.00	0.00	0.000	0.000	0.000	0.000	0.000	0.000
工况 02 - 9	0.540	0.533	0.525	0.00	0.00	0.00	0.000	0.000	0.000	0.000	0.000	0.000
工况 02 - 10	0.585	0.577	0.568	0.00	0.00	0.00	0.000	0.000	0.000	0.000	0.000	0.000
工况 02 - 11	0.880	0.876	0.871	0.00	0.00	0.00	0.000	0.000	0.000	0.000	0.000	0.000
工况 02 - 12	0.090	0.097	0.105	0.00	0.00	0.00	0.000	0.000	0.000	0.000	0.000	0.000
工况 02 - 13	-2.251	-2.260	-2.269	2.00	2.00	2.00	7.470	7.470	7.470	2.440	2.440	2.440
工况 02 - 14	-0.056	-0.059	-0.062	1.00	1.00	1.00	5.590	5.600	5.590	1.590	1.610	1.620
工况 02 - 15	-0.009	-0.011	-0.012	1.00	1.00	1.00	6.500	6.560	6.630	1.270	1.270	1.270
工况 02 - 16	-5.413	-5.420	-5.427	1.00	1.00	1.00	8.580	8.580	8.580	5.180	5.170	5.180
工况 02 - 17	-0.293	-0.301	-0.309	2.00	2.00	2.00	5.350	5.360	5.360	3.260	3.260	3.260
工况 02 - 18	-1.983	-1.985	-1.988	1.00	1.00	1.00	6.060	6.060	6.060	3.340	3.320	3.330
工况 02 - 19	0.630	0.626	0.621	0.00	0.00	0.00	0.000	0.000	0.000	0.000	0.000	0.000
工况 02 - 20	0.112	0.104	0.095	0.00	0.00	0.00	0.000	0.000	0.000	0.000	0.000	0.000
平均值	—	—	—	0.60	0.60	0.60	—	—	—	—	—	—
90% Gumbel	-3.077	-3.085	-3.092	—	—	—	7.181	7.193	7.196	3.587	3.588	3.590

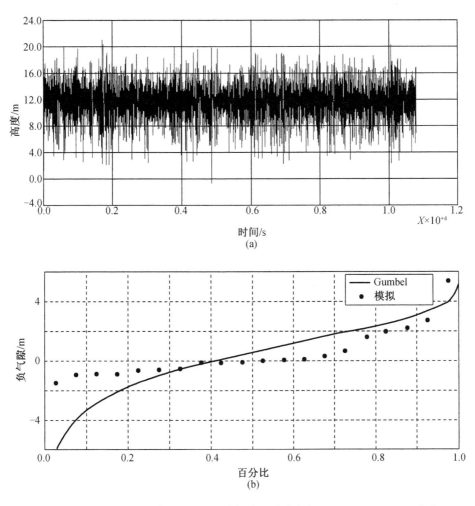

图 5.9　工况 02 – 1 下点 **P81301** 处的气隙运动响应和工况 **02** 下 Gumbel 分布

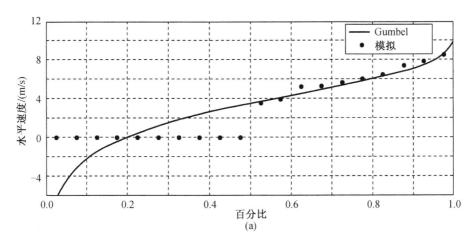

图 5.10　工况 **02** 下关注点 **P81301** 处横向和垂向速度的 **Gumbel** 分布

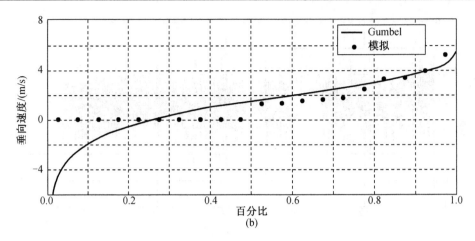

图 5.10（续）

表 5.6　工况 03 详细结果

载荷工况	最小气隙/m			砰击点/m			最大相对水平速度 /（m/s）			最大相对垂直速度 /（m/s）		
位置点	P81301	P81311	P81331	P81301	P81311	P81331	P81301	P81311	P81331	P81301	P81311	P81331
工况 03 - 1	-0.812	-0.812	-0.811	1.00	1.00	1.00	5.150	5.150	5.150	1.920	1.920	1.92
工况 03 - 2	-0.353	-0.355	-0.356	1.00	1.00	1.00	3.820	3.820	3.820	0.280	0.280	0.280
工况 03 - 3	-3.175	-3.177	-3.179	3.00	3.00	3.00	8.010	8.010	8.010	4.140	4.140	4.140
工况 03 - 4	1.370	1.370	1.370	0.00	0.00	0.00	0.000	0.000	0.000	0.000	0.000	0.000
工况 03 - 5	0.950	0.951	0.953	0.00	0.00	0.00	0.000	0.000	0.000	0.000	0.000	0.000
工况 03 - 6	-0.918	-0.917	-0.917	2.00	2.00	2.00	5.480	5.480	5.480	1.680	1.680	1.680
工况 03 - 7	0.932	0.932	0.932	0.00	0.00	0.00	0.000	0.000	0.000	0.000	0.000	0.000
工况 03 - 8	-0.451	-0.451	-0.451	1.00	1.00	1.00	5.800	5.800	5.800	2.620	2.620	2.610
工况 03 - 9	0.194	0.195	0.196	0.00	0.00	0.00	0.000	0.000	0.000	0.000	0.000	0.000
工况 03 - 10	-0.062	-0.061	-0.060	1.00	1.00	1.00	4.820	4.820	4.820	0.000	0.000	0.000
工况 03 - 11	0.671	0.672	0.672	0.00	0.00	0.00	0.000	0.000	0.000	0.000	0.000	0.000
工况 03 - 12	-0.839	-0.839	-0.839	1.00	1.00	1.00	6.350	6.350	6.350	2.420	2.420	2.420
工况 03 - 13	-1.969	-1.968	-1.966	2.00	2.00	2.00	7.020	7.020	7.020	2.140	2.140	2.140
工况 03 - 14	-0.251	-0.251	-0.251	1.00	1.00	1.00	5.610	5.610	5.610	1.250	1.250	1.250
工况 03 - 15	-0.623	-0.622	-0.620	1.00	1.00	1.00	8.400	8.400	8.400	2.530	2.530	2.530
工况 03 - 16	-5.484	-5.482	-5.481	1.00	1.00	1.00	8.470	8.470	8.470	5.100	5.100	5.100
工况 03 - 17	-0.889	-0.888	-0.887	3.00	3.00	3.00	4.470	4.470	4.470	2.970	2.980	2.980
工况 03 - 18	-1.438	-1.524	-1.643	1.00	1.00	1.00	5.810	5.810	5.810	3.430	3.430	3.440
工况 03 - 19	0.163	0.164	0.165	0.00	0.00	0.00	0.000	0.000	0.000	0.000	0.000	0.000
工况 03 - 20	-0.062	-0.061	-0.060	2.00	2.00	2.00	4.820	4.820	4.820	0.000	0.000	0.000
平均值	—	—	—	1.05	1.05	1.05	—	—	—	—	—	—
90% Gumbel	-3.389	-3.388	-3.387	—	—	—	7.689	7.689	7.689	3.732	3.732	3.732

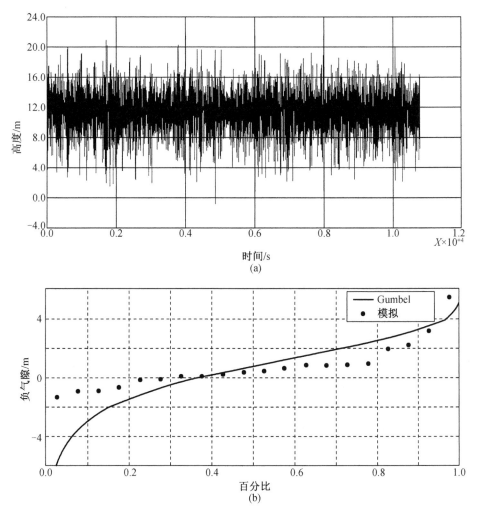

图 5.11　点 P81301 处工况 03 –1 下的气隙运动响应和工况 03 下 Gumbel 分布

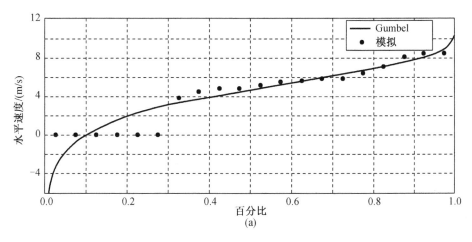

图 5.12　关注点 P81301 处在工况 03 下横向和垂向速度的 Gumbel 分布

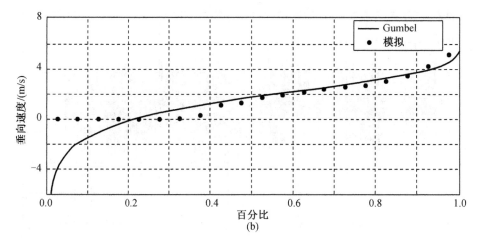

图 5.12(续)

表 5.7　工况 04 详细结果

载荷工况	最小气隙/m			砰击点/m			最大相对水平速度/(m/s)			最大相对垂直速度/(m/s)		
位置点	P81301	P81311	P81331	P81301	P81311	P81331	P81301	P81311	P81331	P81301	P81311	P81331
工况 04－1	−0.868	−0.848	−0.822	1.000	1.000	1.000	5.530	5.490	5.430	2.320	2.080	1.910
工况 04－2	−0.227	−0.261	−0.297	1.000	1.000	1.000	5.070	5.170	5.260	1.210	1.250	1.280
工况 04－3	−2.043	−1.964	−1.866	3.000	3.000	3.000	7.900	7.720	7.500	4.410	4.350	4.280
工况 04－4	2.394	2.394	2.184	0.000	0.000	0.000	0.000	0.000	0.000	0.000	0.000	0.000
工况 04－5	2.082	2.038	1.999	0.000	0.000	0.000	0.000	0.000	0.000	0.000	0.000	0.000
工况 04－6	−0.660	−0.869	−1.079	1.000	1.000	1.000	3.810	3.740	3.660	1.270	1.470	1.630
工况 04－7	1.362	1.271	1.173	0.000	0.000	0.000	0.000	0.000	0.000	0.000	0.000	0.000
工况 04－8	0.934	0.842	0.747	0.000	0.000	0.000	0.000	0.000	0.000	0.000	0.000	0.000
工况 04－9	0.968	0.896	0.819	0.000	0.000	0.000	0.000	0.000	0.000	0.000	0.000	0.000
工况 04－10	1.974	1.735	1.506	0.000	0.000	0.000	0.000	0.000	0.000	0.000	0.000	0.000
工况 04－11	1.478	1.308	1.143	0.000	0.000	0.000	0.000	0.000	0.000	0.000	0.000	0.000
工况 04－12	2.136	2.087	2.038	0.000	0.000	0.000	0.000	0.000	0.000	0.000	0.000	0.000
工况 04－13	−2.788	−2.709	−2.628	2.000	2.000	2.000	8.250	8.190	8.100	2.770	2.790	2.820
工况 04－14	0.435	0.401	0.312	0.000	0.000	0.000	0.000	0.000	0.000	0.000	0.000	0.000
工况 04－15	−1.349	−1.212	−1.065	1.000	1.000	1.000	5.140	5.000	5.080	2.830	2.860	2.950
工况 04－16	−4.854	−4.886	−4.904	1.000	1.000	1.000	8.960	8.930	8.890	5.210	5.360	5.510
工况 04－17	−0.594	−0.511	−0.416	2.000	2.000	2.000	5.640	5.620	5.580	2.160	1.720	1.320
工况 04－18	−1.315	−1.328	−1.342	1.000	1.000	1.000	6.690	6.610	6.510	3.480	3.240	2.960
工况 04－19	1.825	1.755	1.683	0.000	0.000	0.000	0.000	0.000	0.000	0.000	0.000	0.000
工况 04－20	−0.891	−0.615	−0.364	1.000	1.000	1.000	3.020	3.030	2.680	1.300	1.110	0.830
平均值	—	—	—	0.700	0.700	0.700	—	—	—	—	—	—
90% Gumbel	−2.745	−2.737	−2.725	—	—	—	7.363	7.298	7.219	3.735	3.705	3.738

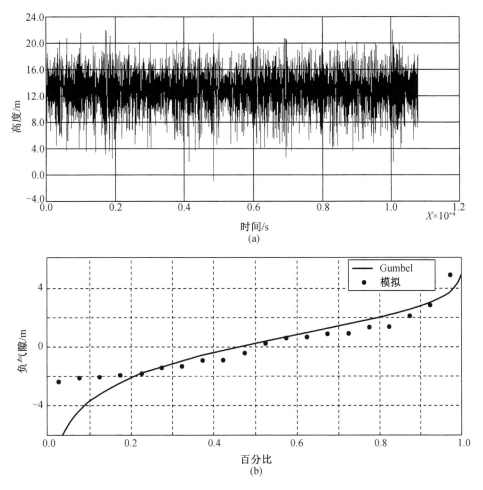

图 5.13　点 P81301 处在工况 04 – 1 下的气隙运动响应和工况 04 下 Gumbel 分布

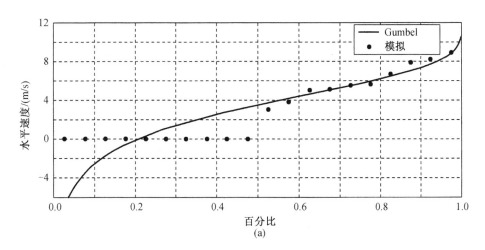

图 5.14　工况 04 下关注点 P81301 处横向和垂向速度的 Gumbel 分布

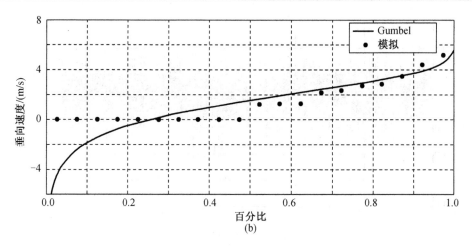

图 5.14（续）

表 5.8   工况 05 详细结果

载荷工况	最小气隙/m			砰击点/m			最大相对水平速度 /（m/s）			最大相对垂直速度 /（m/s）		
位置点	P81301	P81311	P81331	P81301	P81311	P81331	P81301	P81311	P81331	P81301	P81311	P81331
工况 05 - 1	-0.456	-0.604	-0.736	1.000	1.000	1.000	5.280	5.360	5.420	1.380	2.120	1.850
工况 05 - 2	-0.374	-0.337	-0.287	1.000	1.000	1.000	5.600	5.530	5.440	1.410	1.370	1.330
工况 05 - 3	-1.343	-1.573	-1.819	2.000	2.000	2.000	6.910	7.450	7.450	3.860	4.090	4.150
工况 05 - 4	1.711	1.980	2.115	0.000	0.000	0.000	0.000	0.000	0.000	0.000	0.000	0.000
工况 05 - 5	2.134	2.148	2.175	0.000	0.000	0.000	0.000	0.000	0.000	0.000	0.000	0.000
工况 05 - 6	-1.324	-1.174	-1.048	1.000	1.000	1.000	3.500	3.580	3.660	1.690	1.540	1.750
工况 05 - 7	1.140	1.167	1.176	0.000	0.000	0.000	0.000	0.000	0.000	0.000	0.000	0.000
工况 05 - 8	0.788	0.806	0.837	0.000	0.000	0.000	0.000	0.000	0.000	0.000	0.000	0.000
工况 05 - 9	0.855	0.815	0.783	0.000	0.000	0.000	0.000	0.000	0.000	0.000	0.000	0.000
工况 05 - 10	1.128	1.304	1.493	0.000	0.000	0.000	0.000	0.000	0.000	0.000	0.000	0.000
工况 05 - 11	1.104	1.158	1.208	0.000	0.000	0.000	0.000	0.000	0.000	0.000	0.000	0.000
工况 05 - 12	1.778	2.073	2.028	0.000	0.000	0.000	0.000	0.000	0.000	0.000	0.000	0.000
工况 05 - 13	-2.438	-2.564	-2.689	2.000	2.000	2.000	7.940	8.050	8.140	3.310	2.650	1.650
工况 05 - 14	0.356	0.343	0.334	0.000	0.000	0.000	0.000	0.000	0.000	0.000	0.000	0.000
工况 05 - 15	-0.672	-0.910	-1.153	1.000	1.000	1.000	4.830	4.910	5.000	2.420	2.240	2.700
工况 05 - 16	-4.711	-4.786	-4.840	1.000	1.000	1.000	8.820	8.860	8.910	5.340	5.160	4.940
工况 05 - 17	-0.201	-0.353	-0.495	1.000	1.000	1.000	5.500	5.560	5.600	3.830	4.180	4.210
工况 05 - 18	-1.441	-1.433	-1.441	1.000	1.000	1.000	6.320	6.430	6.550	3.430	3.130	3.540
工况 05 - 19	1.718	1.695	1.672	0.000	0.000	0.000	0.000	0.000	0.000	0.000	0.000	0.000
工况 05 - 20	0.116	-0.089	-0.354	0.000	1.000	1.000	0.000	2.120	2.830	0.000	0.080	0.710
平均值	—	—	—	0.550	0.600	0.600	—	—	—	—	—	—
90% Gumbel	-2.557	-2.632	-2.708	—	—	—	7.037	7.178	7.239	3.805	2.763	3.733

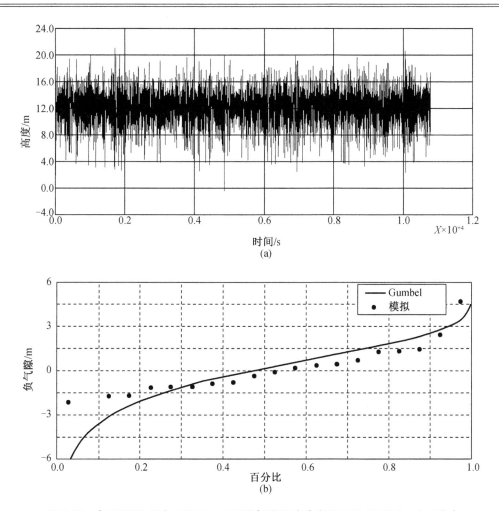

图 5.15　点 P81301 处在工况 05 – 1 下的气隙运动响应和工况 05 下 Gumbel 分布

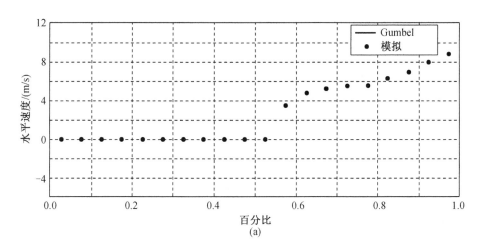

图 5.16　工况 05 下关注点 P81301 处横向和垂向速度的 Gumbel 分布

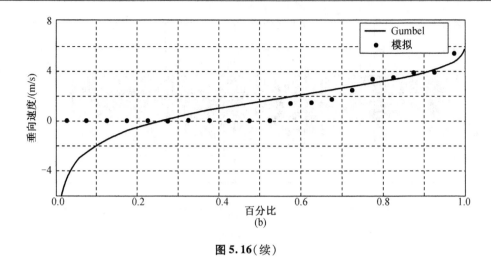

图 5.16（续）

5.3　海　流　速　度

在半潜式平台工作期间,海流是平台所承受的主要环境载荷之一。虽然规范中在计算平台气隙和波浪砰击载荷时没有明确是否考虑海流的影响,但海流不仅会影响平台的平均漂移和平衡位置,对平台的纵摇和横摇运动有影响,而且对平台在大风浪情况下的平衡位置也有影响。

为了考虑流载荷对平台的气隙和波浪砰击载荷的影响,本书运用4.3节中调整好的数值模型,对平台在不同流速工况下,进行平台的气隙响应和波浪砰击载荷的分析。

5.3.1　环境条件

为了更好地研究流载荷情况下对平台气隙的研究,分析了3个工况,环境载荷的详细信息见表5.9。为了得到比较准确的分析结果,每一种相同的工况都分成了20个子工况。每一种子工况都模拟3 h的波浪和风载荷作用下的平台运动响应。取90%概率的Gumbel分布值作为该工况的最终结果。

表 5.9　各工况下环境条件

工况	流速/(m/s)	流向/(°)	风速/(m/s)	风向/(°)	浪向/(°)	波高 H_s/m	周期 T_z/s
工况 06	2	0	37	0	0	17.28	16.5
工况 07	1	0	37	0	0	17.28	16.5
工况 01	0	0	37	0	0	17.28	16.5

风和流载荷是通过风洞试验得到的系数。根据流载荷系数来计算风和流载荷。通过风洞试验得到的流载荷系数见表 5.10。流载荷计算公式为

$$F_j = C_j(\theta)(v - v_s)|(v - v_s)| \quad j = 1,2,3,4,5,6 \tag{5.2}$$

式中　F_j——第 j 自由度下的风或流载荷；

$C_j(\theta)$——在 θ 风向下风或流载荷系数；

$v - v_s$——风与船体的相对速度，其中 v 和 v_s 分别是流与船体的绝对速度。

表 5.10　风洞试验中流的载荷系数

	载荷风向 /(°)	C_{FX} /[N/ (m·s^{-1})$^{-2}$]	C_{FY} /[N/ (m·s^{-1})$^{-2}$]	C_{FZ} /[N/ (m·s^{-1})$^{-2}$]	C_{MX} /[N·m/ (m·s^{-1})$^{-2}$]	C_{MY} /[N·m/ (m·s^{-1})$^{-2}$]	C_{MZ} /[N·m/ (m·s^{-1})$^{-2}$]
流	0	3.28×10^5	2.80×10^3	-1.40×10^5	1.75×10^5	-5.21×10^6	-4.68×10^5

在计算波浪载荷时，运用了 Jonswap 波浪谱来模拟随机波浪工况。取一个海况（$H_s = 17.28$ m，$T_z = 16.5$ s）作为气隙分析的工况，波浪的方向同为 0°。

5.3.2　敏感性分析

在时域内对关注点 P81301、点 P81311 和点 P81331 进行了气隙和波浪砰击载荷的分析，结果见表 5.11。如图 5.17 所示，在不同流速下，给出了关注点 P81301 气隙能量谱密度。为了更好地进行比较，对流速 1 m/s、1.5 m/s、2 m/s 和 2.5 m/s 进行了数值模拟。由气隙能量谱密度可以看出，流载荷对气隙的影响在纵摇固有周期附近比较明显，而在垂荡固有周期附近影响不是太明显。也就是说，在 0° 或 180° 流载荷工况下，流载荷对平台垂荡的影响比较明显，由此对平台气隙的影响比较大。90% Gumbel 分布概率的气隙，在工况 07 下比工况 09 大了 1.317 m，波浪的砰击次数增加了 3.70 次；由此产生的水平的砰击压强增加了 188.8 kPa，垂向压强增加了 63.3 kPa。所以，在对平台气隙和波浪砰击载荷分析时，流载荷会增加负气隙和波浪的砰击载荷，如图 5.18 至图 5.21 所示及见表 5.12 至表 5.13。

表 5.11　各工况下平台气隙结果

描述	90% Gumbel 分布/m			砰击点/m		
位置点	P81301	P81311	P81331	P81331	P81331	P81331
工况 06	-4.470	-4.446	-4.419	4.30	4.30	4.30
工况 07	-4.246	-4.241	-4.232	1.95	1.95	1.95
工况 01	-2.703	-2.720	-2.745	0.60	0.60	0.60

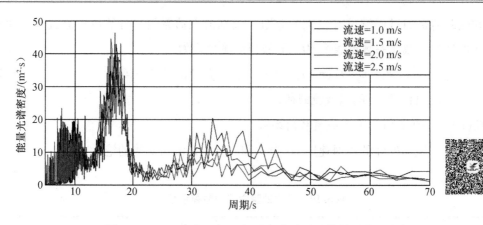

图 5.17 不同流速下点 P81301 处气隙响应的能量密度分布

表 5.12 工况 06 详细结果

载荷工况	最小气隙/m			砰击点/m			最大相对水平速度 /(m/s)			最大相对垂直速度 /(m/s)		
位置点	P81301	P81311	P81331	P81301	P81311	P81331	P81301	P81311	P81331	P81301	P81311	P81331
工况 06-1	-2.490	-2.472	-2.453	3.00	3.00	3.00	8.55	8.040	7.120	3.050	3.040	3.040
工况 06-2	-2.047	-2.016	-1.985	7.00	7.00	7.00	8.35	8.350	8.350	4.060	4.050	4.050
工况 06-3	-2.388	-2.368	-2.348	8.00	8.00	8.00	9.95	9.950	9.950	5.260	5.250	5.250
工况 06-4	-3.845	-3.844	-3.843	9.00	9.00	9.00	11.21	11.210	11.210	5.770	5.780	5.780
工况 06-5	-0.911	-0.897	-0.884	2.00	2.00	2.00	7.04	7.040	7.020	2.170	2.170	2.160
工况 06-6	-2.104	-2.090	-2.076	4.00	4.00	4.00	9.48	9.480	9.480	5.060	5.060	5.060
工况 06-7	-5.372	-5.348	-5.324	6.00	6.00	6.00	8.81	8.810	8.810	5.570	5.560	5.560
工况 06-8	-2.498	-2.472	-2.447	3.00	3.00	3.00	8.46	8.460	8.460	3.830	3.820	3.830
工况 06-9	-2.181	-2.171	-2.161	3.00	3.00	3.00	10.45	10.450	10.440	3.440	3.440	3.440
工况 06-10	-2.149	-2.126	-2.103	5.00	5.00	5.00	6.92	6.910	6.910	3.780	3.780	3.780
工况 06-11	-0.631	-0.607	-0.583	1.00	1.00	1.00	6.25	6.250	6.250	2.220	2.220	2.220
工况 06-12	-3.349	-3.329	-3.308	4.00	4.00	4.00	9.18	9.180	9.180	5.520	5.520	5.520
工况 06-13	-5.358	-5.331	-5.303	7.00	7.00	7.00	10.10	10.090	10.090	5.960	5.960	5.960
工况 06-14	-1.855	-1.858	-1.862	3.00	3.00	3.00	8.24	8.240	8.240	3.490	3.160	3.160
工况 06-15	-1.221	-1.195	-1.169	4.00	4.00	4.00	8.65	8.650	8.640	3.200	3.000	3.000
工况 06-16	-1.261	-1.240	-1.219	3.00	3.00	3.00	8.96	8.960	8.950	3.190	3.190	3.190
工况 06-17	-2.766	-2.755	-2.744	5.00	5.00	5.00	9.10	9.090	9.090	5.020	5.010	5.010
工况 06-18	-3.968	-3.946	-3.923	2.00	2.00	2.00	9.13	9.120	9.120	5.580	5.580	5.580
工况 06-19	-2.184	-2.167	-2.151	4.00	4.00	4.00	10.50	10.500	10.500	4.520	4.510	4.510
工况 06-20	-3.887	-3.838	-3.790	5.00	5.00	5.00	9.76	9.750	9.690	6.100	5.560	6.090
平均值	—	—	—	4.30	4.30	4.30	—	—	—	—	—	—
90% Gumbel	-4.470	-4.446	-4.419	—	—	—	10.44	10.437	10.435	5.798	5.798	5.714

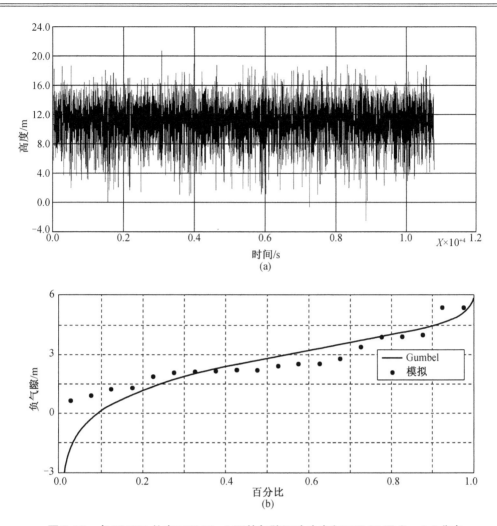

图 5.18　点 P81301 处在工况 06 – 1 下的气隙运动响应和工况 06 下 Gumbel 分布

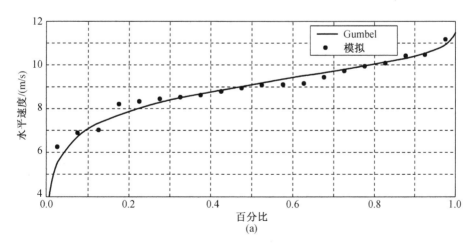

图 5.19　工况 06 下关注点 P81301 处横向和垂向速度的 Gumbel 分布

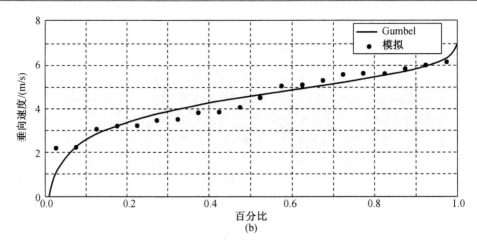

图 5.19（续）

表 5.13 工况 07 详细结果

载荷工况	最小气隙/m			砰击点/m			最大相对水平速度 /（m/s）			最大相对垂直速度 /（m/s）		
位置点	P81301	P81311	P81331	P81301	P81311	P81331	P81301	P81311	P81331	P81301	P81311	P81331
工况 07 – 1	−1.137	−1.133	−1.129	2.00	2.00	2.00	7.720	7.720	7.730	2.950	1.490	2.930
工况 07 – 2	−1.604	−1.608	−1.611	2.00	2.00	2.00	7.190	7.190	7.190	3.690	3.680	3.680
工况 07 – 3	−1.749	−1.756	−1.763	3.00	3.00	3.00	8.480	8.470	8.470	4.040	4.040	4.040
工况 07 – 4	0.176	0.282	0.289	0.00	0.00	0.00	0.000	0.000	0.000	0.000	0.000	0.000
工况 07 – 5	0.320	0.331	0.342	0.00	0.00	0.00	0.000	0.000	0.000	0.000	0.000	0.000
工况 07 – 6	−5.363	−5.363	−5.364	5.00	5.00	5.00	6.790	6.790	6.780	5.200	5.200	5.190
工况 07 – 7	0.071	0.091	0.110	0.00	0.00	0.00	0.000	0.000	0.000	0.000	0.000	0.000
工况 07 – 8	−0.851	−0.848	−0.846	1.00	1.00	1.00	6.380	6.380	6.380	1.960	1.950	1.940
工况 07 – 9	−4.792	−4.777	−4.762	4.00	4.00	4.00	10.070	10.070	10.060	5.080	5.080	5.080
工况 07 – 10	−0.135	−0.127	−0.118	1.00	1.00	1.00	5.820	5.820	5.810	1.700	1.610	1.570
工况 07 – 11	−2.606	−2.607	−2.608	2.00	2.00	2.00	8.160	8.160	8.160	4.740	4.720	4.710
工况 07 – 12	−4.572	−4.568	−4.564	4.00	4.00	4.00	7.870	7.870	7.870	4.630	4.630	4.630
工况 07 – 13	−2.839	−2.813	−2.787	2.00	2.00	2.00	8.130	8.130	8.140	5.060	5.050	5.050
工况 07 – 14	−2.343	−2.312	−2.281	4.00	4.00	4.00	8.780	8.780	8.780	4.120	4.120	4.120
工况 07 – 15	−1.292	−1.292	−1.292	2.00	2.00	2.00	6.860	6.860	6.870	3.540	3.530	3.520
工况 07 – 16	−1.017	−1.020	−1.023	1.00	1.00	1.00	4.360	4.360	4.350	2.010	2.010	2.010
工况 07 – 17	0.744	0.754	0.765	0.00	0.00	0.00	0.000	0.000	0.000	0.000	0.000	0.000
工况 07 – 18	−1.698	−1.686	−1.675	3.00	3.00	3.00	7.610	7.610	7.600	3.340	3.320	3.300
工况 07 – 19	−1.792	−1.784	−1.777	1.00	1.00	1.00	8.380	8.380	8.370	3.660	3.650	3.640
工况 07 – 20	−4.224	−4.212	−4.200	2.00	2.00	2.00	7.030	7.030	7.040	4.990	4.980	4.980
平均值	—	—	—	1.95	1.95	1.95	—	—	—	—	—	—
90% Gumbel	−4.246	−4.241	−4.232	—	—	—	9.152	9.151	9.149	5.044	5.038	5.035

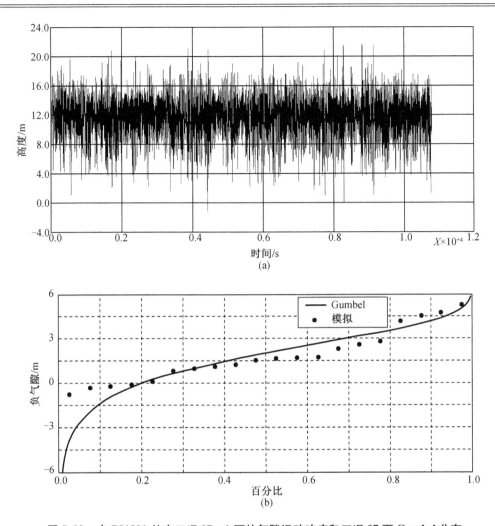

图 5.20　点 P81301 处在工况 07 – 1 下的气隙运动响应和工况 07 下 Gumbel 分布

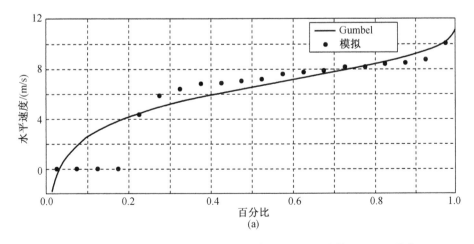

图 5.21　工况 07 下关注点 P81301 处横向和垂向速度的 Gumbel 分布

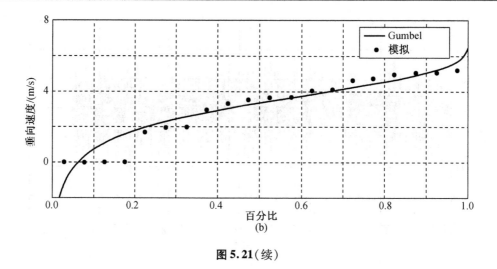

图 5.21(续)

5.4 锚 泊 系 统

5.4.1 锚泊系统

随着半潜式平台工作水深的增加,平台的锚泊系统在不同工作水深情况下,其锚链种类、布锚方式和锚泊系统刚度等变化很大(如工作水深在 300 m 与工作水深 1 500 m);在相同的环境载荷下,锚泊系统对平台的运动影响差别也很大。本节主要通过三种锚泊系统,在相同的环境条件下,运用 4.3 节中及调整好的数值模型,对平台进行气隙分析,以研究锚泊系统对平台气隙的敏感性。

1.线性锚泊系统

根据水池试验测得的锚链刚度,在 AQWA 中运用 Spring 单元模拟了平台线性锚泊系统,锚链固定在立柱 4 个角上。锚链布置如图 5.22 所示。

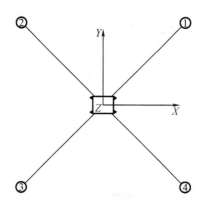

图 5.22 简易锚泊系统布置

2.锚链锚泊系统

锚链锚泊系统是运用锚链锚泊,工作水深 300 m,8 点对称锚泊系统。每根锚链由 1 600 m 锚链和200 m 钢缆组成,锚链和钢缆尺寸见表5.14。锚泊系统的预紧力采用82 t。锚链的 fearlead 位置和锚链出链(图5.23)方式见表5.15。

表5.14　锚链参数

类型	直径/mm	随着线重/(kg/m)	弹性刚度/t	破断力/t
锚链	84	134.6	65 213	735
钢缆	90	32.0	57 492	675

表5.15　锚链系统布置

锚链	X/m	Y/m	Z/m	出缆方向/(°)
1	31.4	37.25	14.4	22.5
2	23.6	37.25	14.4	60.0
3	−23.6	37.25	14.4	120.0
4	−31.4	37.25	14.4	157.5
5	−31.4	−37.25	14.4	202.5
6	−23.6	−37.25	14.4	240.0
7	23.6	−37.25	14.4	300.0
8	31.4	−37.25	14.4	337.5

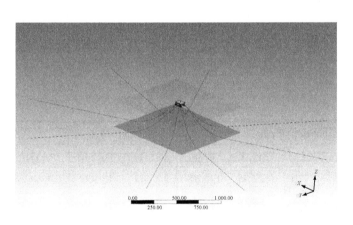

图5.23　锚链系统锚泊的布置(单位:m)

3.钢缆锚泊系统

钢缆锚泊系统采用与锚链相同的出链角度和相同的预紧力,每根锚链由 2 600 m 钢缆和200 m 锚链组成。

5.4.2 环境载荷

在平台自存工况下,平台气隙容易发生负气隙现象,为了更好地研究平台锚泊系统对平台气隙的敏感性,本书对平台在自存工况下进行了分析,见表5.16。

表5.16 各工况下环境载荷和锚链布置

工况	风速/(m/s)	风向/(°)	浪向/(°)	钢缆	锚链
工况 01	37	0	0	200 m	1 600 m
工况 08	37	0	0	2 600 m	200 m
工况 09	37	0	0	弹簧	弹簧

5.4.2 敏感性分析

本书在工况01、工况08和工况09工况中,分别分析了锚链锚泊系统、钢缆锚泊系统和线性锚泊系统下的平台气隙,分析结果见表5.17。根据分析结果可以看出平台的锚泊系统对平台气隙的影响很大。关注点P81301的90% Gumbel概率值的最小气隙值分别为 -2.703 m、-3.829 m和 -3.209 m;发生波浪砰击次数为0.60次、1.50次和1.35次。

相同的锚泊系统中,关注点P81301和P81331在气隙、平均相对高度和波浪平均砰击次数方面差别很小,不超过2%,具体数据见表5.17。根据图5.24和图5.25中表示的在工况01、工况08和工况09下,点P81301处的气隙、平台垂荡和纵荡运动响应,可以发现锚泊系统的影响主要体现在平台垂荡周期附近。图5.26为点P81301处在工况08-1下的气隙运动响应和工况08下Gumbel分布。图5.27为点P81301处在工况09-1下的气隙运动响应和工况09下Gumbel分布。表5.17为各工况下的分析结果。表5.18为工况08详细结果。表5.19为工况09详细结果。

表5.17 各工况下的分析结果

描述	90% Gumbel 分布/m			平均高度/m			平均砰击次数		
位置点	P81301	P81311	P81331	P81301	P81311	P81331	P81331	P81331	P81331
工况 01	-2.703	-2.720	-2.745	12.418	12.421	12.422	0.60	0.60	0.60
工况 08	-3.829	-3.837	-3.830	13.342	13.399	13.403	1.50	1.50	1.50
工况 09	-3.209	-3.196	-3.181	13.026	13.020	13.018	1.35	1.35	1.35

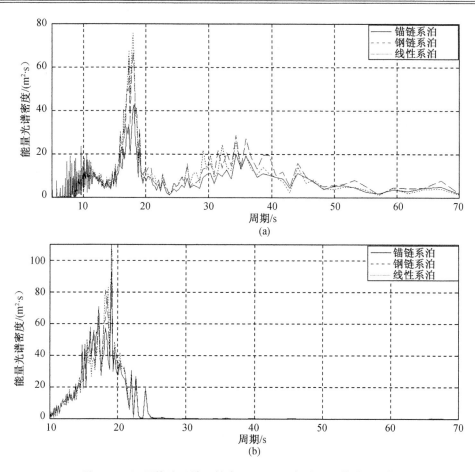

图 5.24　不同锚泊系统下的点 P81301 处气隙和垂荡响应比较

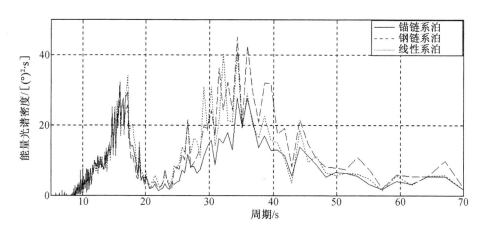

图 5.25　不同锚泊系统下平台纵摇响应比较

表 5.18　工况 08 详细结果

工况	最小气隙/m			平均气隙/m			砰击次数		
位置处	P81301	P81311	P81331	P81301	P81311	P81331	P81301	P81311	P81331
工况 08 - 1	-2.244	-2.258	-2.272	12.40	13.41	13.41	2.00	2.00	2.00

表 5.18(续)

工况	最小气隙/m			平均气隙/m			砰击次数		
位置点	P81301	P81311	P81331	P81301	P81311	P81331	P81301	P81311	P81331
工况 08 - 2	-2.551	-2.577	-2.260	13.400	13.410	13.410	2.00	2.00	2.00
工况 08 - 3	-0.247	-0.252	-0.256	13.380	13.390	13.390	2.00	2.00	2.00
工况 08 - 4	0.386	0.375	0.364	13.400	13.410	13.410	0.00	0.00	0.00
工况 08 - 5	-0.188	-0.214	-0.239	13.380	13.390	13.400	1.00	1.00	1.00
工况 08 - 6	-4.741	-4.754	-4.768	13.410	13.420	13.420	1.00	1.00	1.00
工况 08 - 7	-0.280	-0.309	-0.338	13.390	13.400	13.400	1.00	1.00	1.00
工况 08 - 8	-1.752	-1.764	-1.775	13.400	13.410	13.410	2.00	2.00	2.00
工况 08 - 9	-2.512	-2.521	-2.529	13.390	13.390	13.400	2.00	2.00	2.00
工况 08 - 10	1.384	1.398	1.411	13.400	13.410	13.410	0.00	0.00	0.00
工况 08 - 11	-0.371	-0.371	-0.370	13.370	13.380	13.380	2.00	2.00	2.00
工况 08 - 12	-4.589	-4.566	-4.544	13.380	13.380	13.390	1.00	1.00	1.00
工况 08 - 13	-2.067	-2.071	-2.075	13.380	13.380	13.390	3.00	3.00	3.00
工况 08 - 14	0.205	0.192	0.179	13.400	13.410	13.420	0.00	0.00	0.00
工况 08 - 15	0.770	0.751	0.731	13.400	13.410	13.410	0.00	0.00	0.00
工况 08 - 16	-2.040	-2.048	-2.057	13.390	13.400	13.400	1.00	1.00	1.00
工况 08 - 17	-2.657	-2.689	-2.722	13.370	13.380	13.380	3.00	3.00	3.00
工况 08 - 18	-2.357	-2.373	-2.389	13.400	13.400	13.410	2.00	2.00	2.00
工况 08 - 19	-4.075	-4.095	-4.116	13.400	13.410	13.410	2.00	2.00	2.00
工况 08 - 20	-1.889	-1.916	-1.942	13.390	13.390	13.400	3.00	3.00	3.00
平均值	—	—	—	13.342	13.399	13.403	1.50	1.50	1.50
90% Gumbel	-3.829	-3.837	-3.830	—	—	—	—	—	—

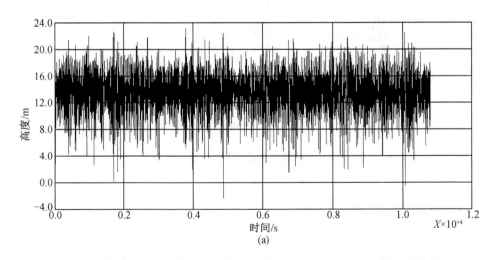

图 5.26　点 P81301 处在工况 08 - 1 下的气隙运动响应和工况 08 下 Gumbel 分布

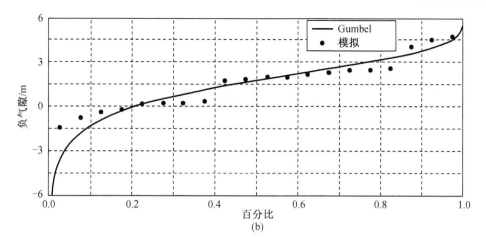

图 5.26(续)

表 5.19　工况 09 详细结果

| 工况 | 最小气隙/m | | | 平均气隙/m | | | 砰击次数 | | |
位置点	P81301	P81311	P81331	P81301	P81311	P81331	P81301	P81311	P81331
工况 09 - 1	- 3.554	- 3.572	- 3.589	13.040	13.030	13.030	1.00	1.00	1.00
工况 09 - 2	- 1.172	- 1.164	- 1.157	13.040	13.030	13.030	1.00	1.00	1.00
工况 09 - 3	- 0.567	- 0.575	- 0.582	13.010	13.010	13.010	2.00	2.00	2.00
工况 09 - 4	0.789	0.755	0.722	13.030	13.020	13.020	0.00	0.00	0.00
工况 09 - 5	- 1.392	- 1.394	- 1.395	13.030	13.030	13.030	2.00	2.00	2.00
工况 09 - 6	- 0.719	- 0.716	- 0.734	13.020	13.020	13.010	1.00	1.00	1.00
工况 09 - 7	0.723	0.716	0.709	13.030	13.020	13.020	0.00	0.00	0.00
工况 09 - 8	- 0.685	- 0.700	- 0.714	13.040	13.030	13.030	1.00	1.00	1.00
工况 09 - 9	0.628	0.605	0.582	13.020	13.020	13.020	0.00	0.00	0.00
工况 09 - 10	- 0.462	- 0.468	- 0.474	13.040	13.030	13.030	1.00	1.00	1.00
工况 09 - 11	0.489	0.477	0.465	13.000	13.000	12.990	0.00	0.00	0.00
工况 09 - 12	0.372	0.372	0.371	13.020	13.020	13.010	0.00	0.00	0.00
工况 09 - 13	- 2.288	- 2.292	- 2.296	13.020	13.010	13.010	3.00	3.00	3.00
工况 09 - 14	- 1.390	- 1.404	- 1.418	13.030	13.020	13.020	2.00	2.00	2.00
工况 09 - 15	- 2.174	- 2.183	- 2.192	13.030	13.020	13.010	2.00	2.00	2.00
工况 09 - 16	- 4.468	- 4.406	- 4.344	13.010	13.000	13.000	2.00	2.00	2.00
工况 09 - 17	- 3.325	- 3.338	- 3.351	13.020	13.010	13.010	5.00	5.00	5.00
工况 09 - 18	- 1.999	- 2.007	- 2.015	13.040	13.040	13.040	2.00	2.00	2.00
工况 09 - 19	0.757	0.744	0.731	13.030	13.020	13.020	0.00	0.00	0.00
工况 09 - 20	- 1.750	- 1.764	- 1.778	13.020	13.010	13.010	2.00	2.00	2.00
平均值	—	—	—	13.026	13.020	13.018	1.35	1.35	1.35
90% Gumbel	- 3.209	- 3.196	- 3.181	—	—	—	—	—	—

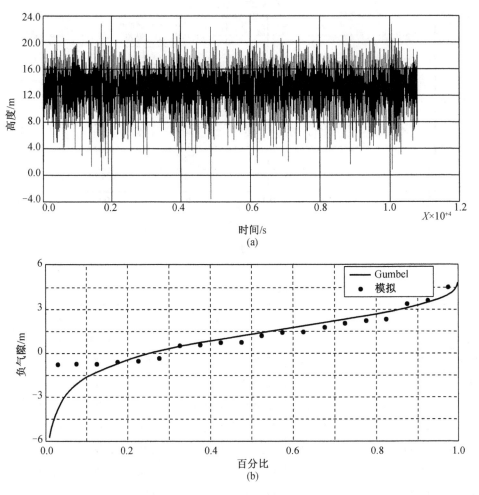

图 5.27　点 P81301 处在工况 09－1 下的气隙运动响应和工况 09 下 Gumbel 分布

5.5　本 章 小 结

　　本章通过运用水池试验结果,对 AWQA 中数值模型中的黏性阻尼和辐射与衍射阻尼进行了修正。运用修正后的数值模型,根据风洞试验测得的风、流载荷系数,对风、流及锚泊系统对平台气隙和波浪砰击载荷的敏感性进行了分析。这种平台气隙分析方法,能够较准确地数值模拟出平台的运动响应,并可以同时精准确定风载荷、流载荷、锚泊系统等多种因素对平台运动响应的影响。

　　根据分析结果,可以得到如下结论。

　　(1)就风载荷方面,风速和风向对平台气隙与波浪砰击载荷非常敏感。虽然规范中没有明确要求考虑风载荷的影响,但在平台设计过程中,风载荷是不能被忽略的。

　　(2)由于流载荷的影响,平台的平衡位置有所变化,进而影响到平台的锚泊系统和平台运动响应。分析结果表明,流载荷对平台的气隙和波浪砰击载荷影响非常敏感,在平台分析设计过程中,流载荷是不能被忽略的。

　　(3)由于半潜式平台工作水深范围很广,水深等因素变化使得平台锚泊系统的刚度变化,锚泊系统会影响到平台的纵摇、横摇及垂荡运动,进而影响到平台的气隙。通过研究发现,不同的系泊系统对平台的气隙和甲板箱波浪砰击载荷比较敏感。在平台气隙分析的过程中,应充分考虑锚泊系统刚度对平台气隙的影响。

第6章 典型半潜式平台波浪砰击载荷分析

6.1 基于CFD方法的半潜式平台砰击载荷数值模拟方法建立

本书计算了甲板箱底部48个关注点在不同工况下的气隙值,初步得到了气隙分布情况。为了验证其结果的准确性并计算在负气隙情况下波浪砰击值,实现半潜式海洋平台与系泊系统之间的全耦合运动,考虑平台的绕射、辐射和兴波现象对波面的影响,本章依据STARCCM+软件切割六面体网格技术,首先建立静水区域中计算域,然后对半潜式平台及其锚泊系统建立全耦合模型,接着对平台整体及计算域进行网格划分,借助VOF方法捕捉自由液面的波浪参数,对平台整体的六自由度运动进行研究。通过在双层甲板前端及下端、立柱前端建立的监测点来测量对应结构受到的波浪砰击载荷,研究波浪载荷分布特性。

6.1.1 边界条件选取与网格划分

1. 模型参数

在本次数值模拟中采用与原型尺寸相似比为1:20的半潜式平台数值模型,其主尺寸见表6.1。

表6.1 平台主体与模型尺寸

结构名称	实际尺寸	模型尺寸	单位
浮箱(长×宽×高)	$104.50 \times 3.90 \times 10.05$	$5.225 \times 0.195 \times 0.500$	m^3
主甲板高度	37.55	1.877 50	m
双层低高度	29.55	1.477 50	m
浮箱中心间距	37.50	1.875 00	m
纵向立柱间距	55.00	2.751 50	m
立柱截面尺寸	15.50	0.038 75	m^2
工作吃水/排水体积	15.50/38 400.00	0.775/4.8	m/m^3

2. 边界条件与计算域

通常选取计算域时,一方面要考虑整体流场的完整性,确保真实地反映流场变化;另一方面若计算域太大,则网格数量会指数式增长,出于计算机性能的限制和减少计算时间的考虑,需要在两者间进行一定的取舍。基于此,并结合文献资料,本书中采用 39.75 m × 22.00 m × 12.00 m 的长方体计算域,如图 6.1 所示。自由液面将计算域分为两部分,上方是空气,密度设定为 1.184 15 kg/m³,下方是水,密度设为淡水密度 1 000 kg/m³。计算域入口距离平台质心 13.125 m,出口距离平台质心 26.5 m,消波区域长度 1.4λ,即 1.4 倍波长,这个区域是为了减小波浪传递到压力边界后产生反射所设置的阻尼层。

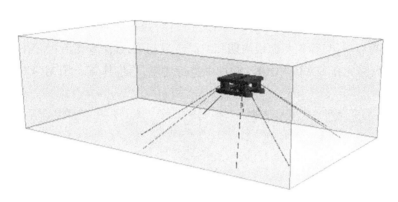

图 6.1　计算域及边界条件

计算域设定好之后,利用 STARCCM + 中的重叠网格(图 6.2)技术对半潜式平台进行网格划分。有研究表明,自由液面波长方向的网格密度和大小影响波浪传递衰减,竖直方向的网格影响波浪垂向运动,因此需要对网格进行合理设置以保证得到良好的波形。网格类型包括棱柱层网格、切割体网格、表面重构等。本书研究自由液面部分使用棱柱层网格,其他部分采用切割体网格。加密区域分为以下几部分。

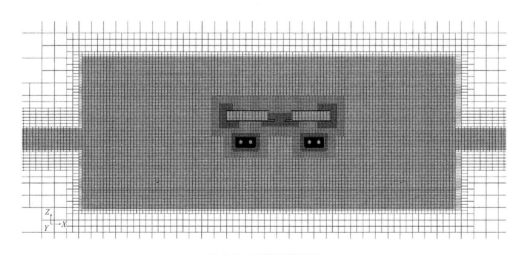

图 6.2　重叠网格区域

(1)自由液面部分。因为波浪扰动和变化幅度最大的部分就在自由液面,此处的压力梯度、速度梯度变化激烈。因此对它进行两层加密,第一层位于平台在静水平衡时自由液面上下,一个波高方向 15 个网格、波长方向 80~100 网格,加密高度为 3 倍波高。第二层加密高度为 4~5 倍波高,网格数量为第一层的 3 倍。

(2)平台关注区域。为了精确地反映波浪与结构之间的相互作用和液面变化,需要对平台表面、撑杆及浮箱表面和附近流场进行加密。

(3)为了捕捉平台整体的运动情况,需要对平台可能的运动范围进行加密。

在计算过程中,除了网格数量会影响计算时间效率,时间步长也与它相辅相成。当时间步设置得太小,迭代次数太多,导致计算缓慢,效率变低;当时间步设置得太大,可能导致计算结果不精确,不能捕捉到流场的细微变化。因此我们需要对它进行合理设置,通过经验公式 $\Delta t = T/(2.4n)$,可以看出,步长与波浪周期和波浪个数相关,如图 6.3 所示。在本章中,因为平台模型比较复杂,需先在 SOLIDWORKS 软件中进行建模,再将其导入 STAR-CCM + 中。

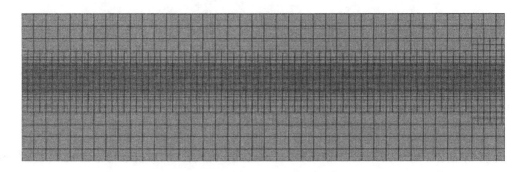

图 6.3　波浪水池网格划分

为了在软件中定义系泊缆,本章使用了 STAR-CCM + 的 DFBI(Dynamic Fluid Body Interaction)功能,即动态流体固体相互作用,进行模拟系泊缆与平台耦合运动。在真实的时间历程上网格节点存在真实位移,此类问题通常采用瞬态分析。

6.1.2　数值水池及工况选择

1. 数值水池造波

数值水池是考虑到波浪黏性将真实波浪通过数值计算模拟的方式还原出来,它基于波浪理论,能够对船舶和海洋结构物与波浪的相互作用、自由液面及自由液面以下的流场进行进一步研究。它与物理水池的区别是,完全代替了物理水池的功能且优点显著,基础理论简单,基于波浪理论。一般来说数值造波分为两类,一类是纯数值造波,另一类是仿造物理造波。它们之间的区别就是造波机理的不同。纯数值造波分为直接输入造波参数和函数造波。直接输入造波就是在指定计算域的速度入口设置相应的波浪参数,包括流速、波高、周期等,利用 CFD 软件计算得到自由液面、压力、流场等。本章所采用的就是直接输入法。此方法的优点是计算量小,对于网格要求相对不高,但相对来说更接近理论值,与物理水池中的真实波浪相比存在一定差距。

而仿造物理造波法则是在数值水池中利用和物理水池相似的推板式造波法,通过设置一定的振荡频率使流体产生波动,从而产生波浪。再将扰动源数值化成程序命令作为计算的初始条件。这种方法的优点是生成的波浪更接近真实波浪,控制简便,但也存在不可忽视的缺点,扰动源在做往复运动的振荡时对其附近的网格条件要求较高,网格跟随扰动源振动,这对于计算机的性能提出了很高的要求,增加了计算时间,降低了工作效率。

2. 数值水池消波

在数值水池中,计算域存在边界,若不设定消波区域则在速度出口处有可能会产生波浪传递到边界后出现反射,反射波与入射波叠加对流场产生影响,造成计算结果不收敛或失真。在拖航状态下,平台会有一定航速,产生的船行波遇到壁面造成的反射也会对流场造成负面影响,因此通常做法是在波浪传递下游接近出口处及两侧壁面处设置阻尼消波区域,使这个区域的流场接近稳定,如图6.4所示。一般将消波区域的长度设为1~2倍波长。本章中设为1.5倍波长,方法是阻尼消波。

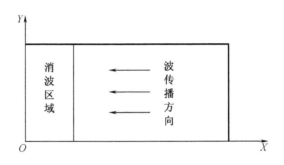

图6.4　消波区域设置

3. 压力砰击监测点布置及工况选择

本次计算所选用的波浪为斯托克斯五阶波,相比一阶波更接近真实波浪。其波高为15.8 m,周期为9.40 s,定义吃水为0.775 m,流速 -0.24 m/s,风速 -9.19 m/s,经过缩尺比计算后模型的波浪参数为波高0.79 m,周期为2.10 s。图6.5至图6.8为砰击压力监测点布置情况,监测点具体坐标见表6.2,L1~L8点和R1~R8点 Z 值依次增大。P1~P20从上游侧至下游侧均匀分布,D1~D7位于上游立柱上方至甲板中心线,LZ1~LZ7位于下游立柱上方至甲板中心线。

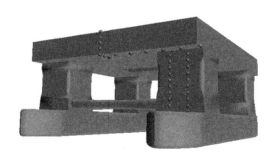

图6.5　砰击压力监测点布置情况

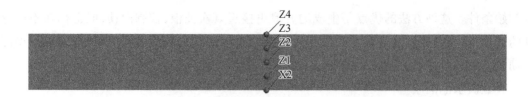

图6.6　上甲板前壁端监测点布置情况

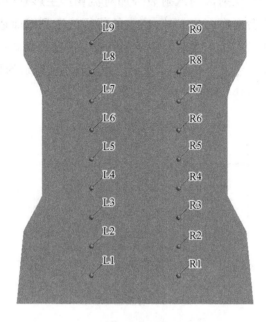

图6.7　立柱前壁端监测点布置情况

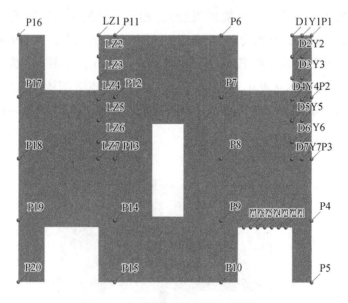

图6.8　甲板箱底部监测点布置情况

表 6.2　砰击压强监测点坐标

点	X/m	Y/m	Z/m	点	X/m	Y/m	Z/m
L1	1.762 5	1.200 0	0.600 0	Y5	1.903 125	0.537 50	1.477 5
L2	1.762 5	1.200 0	0.700 0	Y6	1.903 125	0.237 50	1.477 5
L3	1.762 5	1.200 0	0.800 0	Y7	1.903 125	0.000 00	1.477 5
L4	1.762 5	1.200 0	0.900 0	LZ1	−0.987 500	1.737 50	1.477 5
L5	1.762 5	1.200 0	1.000 0	LZ2	−0.987 500	1.437 50	1.477 5
L6	1.762 5	1.200 0	1.100 0	LZ3	−0.987 500	1.137 50	1.477 5
L7	1.762 5	1.200 0	1.200 0	LZ4	−0.987 500	0.837 50	1.477 5
L8	1.762 5	1.200 0	1.300 0	LZ5	−0.987 500	0.537 50	1.477 5
L9	1.762 5	1.200 0	1.400 0	LZ6	−0.987 500	0.237 50	1.477 5
R1	1.762 5	1.500 0	0.600 0	LZ7	−0.987 500	0.000 00	1.477 5
R2	1.762 5	1.500 0	0.700 0	P1	2.043 750	1.737 50	1.477 5
R3	1.762 5	1.500 0	0.800 0	P2	2.043 750	0.868 75	1.477 5
R4	1.762 5	1.500 0	0.900 0	P3	2.043 750	0.000 00	1.477 5
R5	1.762 5	1.500 0	1.000 0	P4	2.043 750	−0.868 75	1.477 5
R6	1.762 5	1.500 0	1.100 0	P5	2.043 750	−1.737 50	1.477 5
R7	1.762 5	1.500 0	1.200 0	P6	0.750 000	1.737 50	1.477 5
R8	1.762 5	1.500 0	1.300 0	P7	0.750 000	0.868 75	1.477 5
R9	1.762 5	1.500 0	1.400 0	P8	0.750 000	0.000 00	1.477 5
A1	1.375 0	1.737 5	0.600 0	P9	0.750 000	−0.868 75	1.477 5
A2	1.375 0	1.737 5	0.750 0	P10	0.750 000	−1.737 50	1.477 5
A3	1.375 0	1.737 5	0.900 0	P11	−0.750 000	1.737 50	1.477 5
A4	1.375 0	1.737 5	1.050 0	P12	−0.750 000	0.868 75	1.477 5
A5	1.375 0	1.737 5	1.200 0	P13	−0.750 000	0.000 00	1.477 5
A6	1.375 0	1.737 5	1.350 0	P14	−0.750 000	−0.868 75	1.477 5
A7	1.375 0	1.737 5	1.477 5	P15	−0.750 000	−1.737 50	1.477 5
B1	1.375 0	−0.962 5	0.600 0	P16	−2.137 500	1.737 50	1.477 5
B2	1.375 0	−0.962 5	0.750 0	P17	−2.137 500	0.868 75	1.477 5
B3	1.375 0	−0.962 5	0.900 0	P18	−2.137 500	0.000 00	1.477 5
B4	1.375 0	−0.962 5	1.050 0	P19	−2.137 500	−0.868 75	1.477 5
B5	1.375 0	−0.962 5	1.200 0	P20	−2.137 500	−1.737 50	1.477 5
B6	1.375 0	−0.962 5	1.350 0	P21	1.675 000	−0.962 50	1.477 5
B7	1.375 0	−0.962 5	1.477 5	P22	1.575 000	−0.962 50	1.477 5
D1	1.762 5	1.737 5	1.477 5	P23	1.475 000	−0.962 50	1.477 5
D2	1.762 5	1.437 5	1.477 5	P24	1.375 000	−0.962 50	1.477 5

表6.2(续)

点	X/m	Y/m	Z/m	点	X/m	Y/m	Z/m
D3	1.762 500	1.137 5	1.477 5	P25	1.275 00	−0.962 5	1.477 5
D4	1.762 500	0.837 5	1.477 5	P26	1.175 00	−0.962 5	1.477 5
D5	1.762 500	0.537 5	1.477 5	P27	1.075 00	−0.962 5	1.477 5
D6	1.762 500	0.237 5	1.477 5	X1	1.762 50	0.000 0	1.477 5
D7	1.762 500	0.000 0	1.477 5	X2	2.043 75	0.000 0	1.477 5
Y1	1.903 125	1.737 5	1.477 5	Z1	2.043 75	0.000 0	1.577 5
Y2	1.903 125	1.437 5	1.477 5	Z2	2.043 75	0.000 0	1.677 5
Y3	1.903 125	1.137 5	1.477 5	Z3	2.043 75	0.000 0	1.777 5
Y4	1.903 125	0.837 5	1.477 5	Z4	2.043 75	0.000 0	1.877 5

6.1.3　砰击压强分布规律

1. 立柱砰击

对风速和流速均为0 m/s、浪向0°、波高15 m、周期9 s规则波下上游立柱测点 L1 ~ L9、R1 ~ R9 所测的砰击压强进行讨论。取3个稳定周期测点压强时间历程曲线如图6.9所示，L1 ~ L9 与 R1 ~ R9 均发生了波浪砰击，砰击发生趋势表现为陡峭的上升段与先快速后缓慢的下降段，且L列的陡峭段高度明显大于R列。L1点处砰击值最大435.98 kPa，随着高度的增加，L2 ~ L8 点砰击压强峰值逐渐减小，但L9点处压强最大值有明显上升，最大约为104.98 kPa。而R1 ~ R9的砰击压强分布规律与L列相似，R1点处砰击值最大，随着高度增加砰击值逐渐减小，但R9点处砰击值有显著的上升。R1点处最大值205.22 kPa，R9点处最大值84.23 kPa，R列测点砰击值均明显小于L列测点。

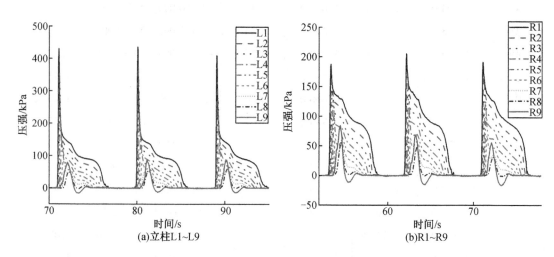

(a)立柱L1 ~ L9　　(b)R1 ~ R9

图6.9　立柱 L1 ~ L9 与 R1 ~ R9 压强时间历程曲线

取3个波浪周期中L和R列各点砰击压强均值对比，如图6.10所示，可知L列各点压强均大于 R 列。L1～L9 和 R1～R9 随着高度增加,砰击值逐渐减小,但 L9 和 R9 处压强均有显著增加,其原因可能是此处位于立柱和甲板交界处,波浪从立柱处爬升至甲板处发生叠加,造成砰击压强增大。

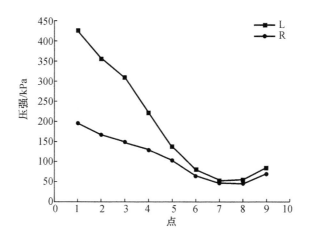

图 6.10　立柱 L1～L9 与 R1～R9 砰击压强对比

对风速和流速均为 0 m/s,浪向 90°、波高 15 m、周期 9 s 规则波下上游立柱测点 A1～A7、下游立柱测点 B1～B7 所测的砰击压强进行讨论。取 3 个稳定周期测点压强时间历程曲线,如图 6.11 所示,A 列和 B 列测点压强值均随高度增加逐渐减小,且 A7、B5、B6、B7 压强均接近 0。A1 点最大压强 101.02 kPa,B1 点最大压强 79.55 kPa。A 列压强值的上升和下降呈现平滑过渡,并没有产生明显的砰击现象,其原因是在 90°横浪时,上游立柱下方并无浮筒,波浪没有在此处发生堆叠。而 B 列压强值有尖锐的波峰,其原因是波浪经过上游立柱后由于平台内部复杂的干涉等效应,波浪的非线性特征增强,产生了明显的砰击。

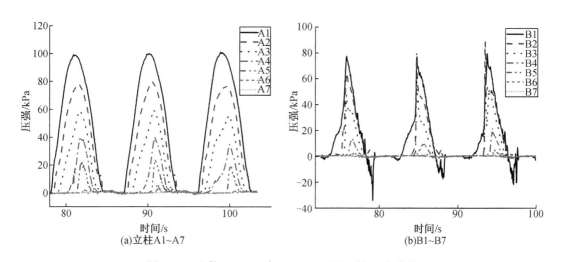

图 6.11　立柱 A1～A7 与 B1～B7 压强时间历程曲线

3 个波浪周期中 A 列和 B 列各点压强均值对比,如图 6.12 所示,可知 A 列各点压强均大于 B 列。A1～A7 随着高度增加砰击值逐渐减小,B1～B2 增大,B2～B7 逐渐减小。除点

2 外,其余点压强值均是 A 列大于 B 列,即上游立柱所受砰击压力总体大于下游立柱。

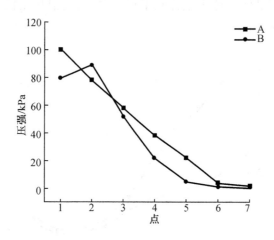

图 6.12　立柱 A1 ~ A7 与 B1 ~ B7 点砰击压强对比

2. 甲板砰击

在入射角 0°、波高 15 m、周期 9 s 的规则波工况下,取平台运动稳定后 3 ~ 4 个周期压强最大值的平均值分析甲板底部砰击现象。由图 6.13 至图 6.16 可知,甲板底部 D 列、Y 列、LZ 列均在立柱正上方的点 2 和点 3 处产生较大的砰击压强,且 D2 > Y2 > LZ2,D3 > Y3 > LZ3,推测其原因是波浪传播到上游立柱时,沿着立柱爬升,在立柱与甲板交界处产生堆叠和挤压,造成负气隙现象,产生超过 100 kPa 的砰击值后,出现甲板射流沿着甲板底部向周围扩散且压强逐渐降低。波浪传递到下游立柱时同样产生爬浪现象,但此时的波面由于 4 立柱和浮筒的干扰已经不再稳定,由于干涉等效应表现出很强的非线性,因此在数个波浪周期内测得的砰击值无规律可循。从结果来看整体波浪砰击值小于上游立柱处,但极大值依然出现在立柱与底甲板交界点 2 和点 3 位置,此现象表明甲板底部最易出现负气隙的位置位于立柱顶端与甲板箱底部交界处。而其他甲板底部关注点 P1 ~ P20 仅有点 P2 测得 20.3 kPa,其他 19 个测点值均接近 0,结果说明远离立柱的甲板箱位置出现负气隙的概率很小。

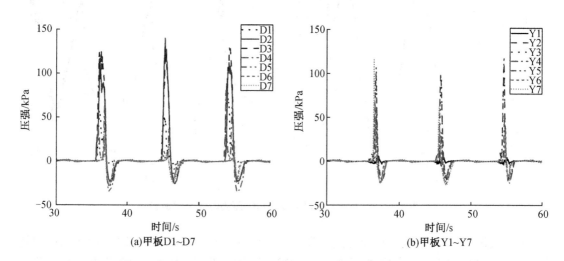

(a)甲板D1~D7　　　　　　　　　　　(b)甲板Y1~Y7

图 6.13　甲板 D1 ~ D7、Y1 ~ Y7 压强时间历程曲线

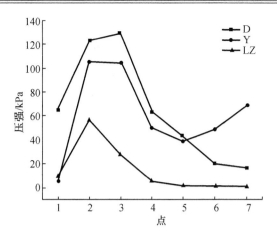

图 6.14　甲板 D 列与 Y 列、LZ 列测点砰击压强对比

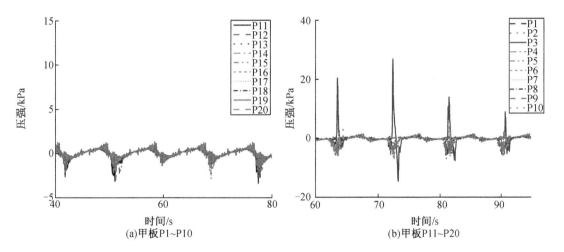

图 6.15　甲板 P1 ～ P10 与 P11 ～ P20 压强时间历程曲线

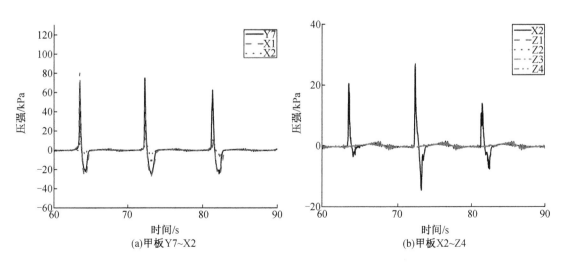

图 6.16　甲板 Y7 ～ X2 与 X2 ～ Z4 压强时间历程曲线

在甲板底部中线位置处纵向排列的 Y7、X1、X2 点最大值分别为 68.27 kPa、46.35 kPa、20.48 kPa,越靠近甲板前端越呈现减小的趋势。而在甲板前端的 X2、Z1~Z4 点中,仅有最下方与甲板底部交界处的 X2 点测得 20.48 kPa 的砰击值。在砰击过程发生后波浪由波峰转向波谷阶段,由于波高逐渐降低,水逐渐从甲板上脱落产生负压,而 X2 点处位于甲板前端最低点,上方水流汇聚于此造成 X2 点处负压值也较大。Z1~Z4 点均未测得明显砰击压强。可知在当前工况下只有 X2 点受到波浪砰击,而 X2 点垂直方向以上的其他点均未受到砰击。

6.2 自存工况下平台砰击载荷影响敏感性分析

6.2.1 浪向角

波浪入射角对于平台运动和砰击现象有不可忽视的影响。在斜浪条件下,平台与波浪有一定的夹角,浮筒和立柱会对来浪形成阻挡和遮蔽效应,会改变 4 立柱之间的流场,波浪砰击现象也会因此改变。在 0°、30°、45°、90°的波浪入射角范围内对立柱及底部甲板上的测点进行了砰击压强敏感性研究。图 6.17 为波高 15 m、周期 9 s、流速为 0 时 L1~L9 点砰击压强峰值对比,可以看出随着波浪入射角的增大,L1~L9 点砰击压强峰值逐渐减小。

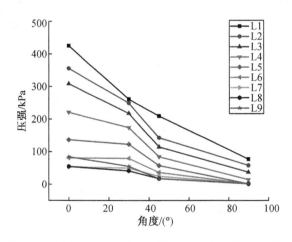

图 6.17　测点 L1~L9 在不同波浪入射角下的砰击压强

此外,L9 点在 0°和 30°的砰击压强值相比,L8 点有 54.6% 和 34.4% 的增加,在垂直高度增加的情况下砰击值增幅很大,其原因可能是 L9 点是立柱顶端的监测点,其位置更接近甲板,波浪由于立柱与甲板间的遮蔽效应在此处发生了叠加和强烈的砰击现象。而 45°和 90°的砰击值在 L9 处并未有明显变化,说明在大角度的斜浪和横浪影响下甲板射流的效应越来越微弱,立柱顶端的砰击载荷未有明显的增加。

6.2.2　流速

在研究流速变化对立柱和甲板砰击压强的影响时,将流速 V 设为 $V_1 = 0$ m/s, $V_2 =$ 1.07 m/s, $V_3 = 2.15$ m/s, $V_4 = 3.22$ m/s, $V_5 = 4.29$ m/s,波高 $H = 20.84$ m,周期 $T = 8.77$ s。如图 6.18 所示,只有 D1、D2、D3 点发生了较为明显的砰击现象。随着流速的增加,D1 ~ D3 点的砰击峰值呈现出增加的趋势,到 $V = 2.15$ m/s 时达到最大。但当 $V > 2.15$ m/s 时砰击压力峰值显著减小,流速最大为 4.29 m/s 时砰击峰值比 3.22 m/s 时略有增加,但还是低于 $V = 2.15$ m/s 时砰击峰值。这说明砰击压强并不是随着流速的增大而一直增大,其原因是流速增加确实会造成砰击值的增加,但流速增加的同时,波陡也在逐渐减小,波浪变得逐渐平缓,这造成了砰击概率和砰击值的减小,与流速增加造成的效应相互抵消,在 $V = 3.22$ m/s 处这种现象最为明显。

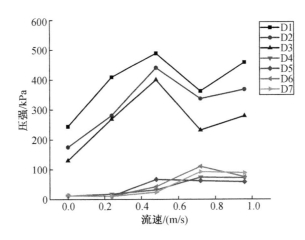

图 6.18　测点 D1 ~ D7 在不同流速下的砰击压强

观察 D4 ~ D7 砰击峰值较小点随流速的变化规律,同样也是先随着流速的增加而增加,但在 $V = 4.29$ m/s 处有明显的减小,进一步证实了上述的推测。

图 6.19 为 L1 ~ L9 砰击压强峰值随流速变化的情况,可以看出 L7、L8、L9 处的砰击值变化较为剧烈,随流速增加,在 $V = 2.15$ m/s 时达到最大,在 $V = 3.22$ m/s 时快速减小,流速最大为 4.29 m/s 时砰击峰值比 3.22 m/s 时略有增加,但还是低于 $V = 2.15$ m/s 时砰击峰值。L7、L8、L9 点在 $V = 2.15$ m/s 时的砰击峰值与 $V = 1.07$ m/s 和 $V = 3.22$ m/s 时分别变化了 44.3%、104.4%、105.2% 和 49.4%、51.4%、61.1%,可以看出砰击峰值关于流速变化十分敏感。L1 ~ L6 砰击值变化相对于 L7 ~ L9 来说较为平缓,随着流速增加略有增大。其原因可能是 L7 ~ L9 位于立柱顶部,波浪传播至此处时与立柱和浮箱互相作用发生干扰,沿着立柱爬升并与甲板碰撞产生很大的砰击效应。

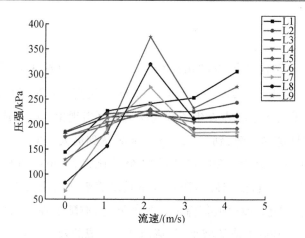

图 6.19　测点 L1 ~ L9 在不同流速下的砰击压强

6.2.3　周期

在研究波浪周期对立柱和甲板砰击的影响时,选取波高 $H = 20$ m,周期 $T = 9$ s、10 s、11 s、12 s 的规则波工况。由前文对甲板砰击分布规律的分析可知,D1 ~ D3 点的砰击现象较为明显,因此选取这 3 个点以研究砰击峰值关于周期的敏感性。在每个规则波工况中,取模拟时间内前 1/3 压强峰值的均值作为砰击压强的峰值。由图 6.20 可知,随着波浪周期的增大,D1 ~ D3 的砰击压强逐渐减小,周期从 9 s 变化至 12 s 过程中,每增加 1 s,D1 点压强峰值的下降率为 55.7%、12.0%、41.6%,D2 点压强峰值的下降率为 29.3%、7.84%、51.8%,D3 点压强峰值的下降率为 30.9%、34.2%、58.4%,说明砰击压强对于周期变化十分敏感。D2 点和 D3 点砰击值明显大于 D1 点,这是因为在立柱和浮箱的干扰下波浪在此处速度与高度都有较大的增长,在周期较小时波浪之间间隔时间短,水面未平静时与下一个波浪发生叠加造成的砰击现象更为明显。

6.2.4　波高

在研究波浪周期对立柱和甲板砰击的影响时,选取周期 $T = 1.2$ s,波高 $H = 10$ m、15 m、20 m、25 m 的规则波工况,同样选取甲板上的 D1 ~ D3 点和立柱上的 R1 ~ R9 点以研究波高对砰击峰值的敏感性。

由图 6.21 可以看出,随着波高 H 的增大,D1 点、D2 点、D3 点均有逐渐增大的趋势,在波高 $H = 10$ m 时,D1 ~ D3 点砰击值几乎都为 0,随着波高 H 增加,变化率分别为 91.2%、86.2%、25.0%,96.9%、79.3%、25.8%,82.2%、76.9%、48.9%,说明 D1 ~ D3 点的砰击压强对波高变化十分敏感,且相对来说增长率呈逐渐减小的趋势。而 D4 点的砰击值分布并无明显规律,变化率为 74.5%、60.1% 和 −69.1%,其原因可能是 D1 ~ D3 点均位于甲板和立柱交界处,而 D4 点位于甲板脱离立柱位置处,更靠近甲板中线,波浪沿着浮箱、立柱爬升放缓,导致 D4 点砰击压强与波高关系不明显。

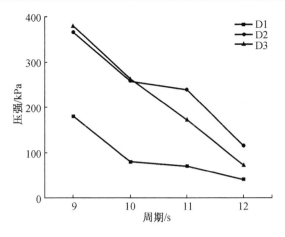

图 6.20　测点 D1 ~ D3 在不同周期下的砰击压强

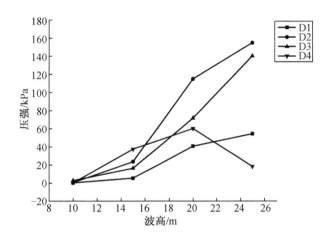

图 6.21　测点 D1 ~ D4 在不同周期下的砰击压强

6.3　拖航工况下撑杆波浪砰击数值模拟与参数敏感性分析

6.3.1　引言

半潜式平台在拖航期间,主要承受流载荷、风载荷及波浪载荷的作用。由于半潜式平台撑杆较为细长,物理位置较低,会直接受到波浪砰击。另外,半潜式平台在拖航的过程中,浪向角对半潜式平台运动形态影响很大,当流速、风速等环境因素确定的情况下,平台与波浪方向的夹角不一样,会导致平台运动的激烈程度也不一样,造成的砰击压力也是不同的。因此,本节主要对平台在拖航情况下,波陡、流及浪向角对撑杆受到的砰击压力特性和敏感性进行研究,同时介绍了数值波浪水池的设置,自由液面网格的划分及计算方法参考数值造波的内容。另外,本节采用了重叠网格方法对平台的运动进行模拟,其流程如图 6.22 所示。

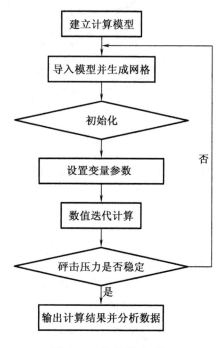

图 6.22　数值模拟流程

6.3.2　撑杆关注点布置及工况选择

本节选用的斯托克斯五阶波的波高为 8 m,周期为 10 s。对应的三维数值波浪水槽下的波高为 0.4 m,波浪周期约为 2.236 s。由于计算条件的限制,数值模拟过程中对平台进行缩小,取平台缩尺比 1:20。较小的缩尺比可以减小计算过程的尺度效应,保证模拟结果的准确性。平台在拖航时吃水较浅,约为 9.5 m,对应水池中的吃水为 0.475 m,迎浪方向规定为 0°浪向角。

为研究波陡参数对撑杆受到的波浪砰击压力的影响,这里取不同波浪周期影响下的波陡参数对波浪砰击压力的敏感性影响。保持流速为 2.24 m/s,风速为 22.35 m/s。通过改变波浪周期变化范围在 10～16 s,来研究拖航工况下撑杆的砰击压力敏感性。在正面迎浪的工况下,风速设置为恒定的 17.89 m/s,流速取 1.79～5.37 m/s,通过流速的变化来研究拖航工况下撑杆的砰击压力敏感性。另外,由于平台底部的对称性,在保持流速为 2.24 m/s、风速为 22.35 m/s 不变的情况下,研究 4 个不同的浪向角 0°、45°、60°、90°对拖航工况下撑杆砰击压力的敏感性。具体的计算工况见表 6.3 至表 6.5。

表6.3 工况1

工况	波高 H/m	波周期 T/s	流速 V_c/(m/s)	风速 V_f/(m/s)	浪向角/(°)
A1	8	10	2.24	22.35	0
A2	8	12	2.24	22.35	0
A3	8	14	2.24	22.35	0
A4	8	16	2.24	22.35	0

表6.4 工况2

工况	波高 H/m	波周期 T/s	流速 V_c/(m/s)	风速 V_f/(m/s)	浪向角/(°)
B1	8	10	1.79	17.89	0
B2	8	10	2.68	17.89	0
B3	8	10	3.58	17.89	0
B4	8	10	4.47	17.89	0

表6.5 工况3

工况	波高 H/m	波周期 T/s	流速 V_c/(m/s)	风速 V_f/(m/s)	浪向角/(°)
D1	8	10	2.24	22.36	0
D2	8	10	2.24	22.36	45
D3	8	10	2.24	22.36	60
D4	8	10	2.24	22.36	90

图6.23 为波浪的前进方向和平台坐标系。如图6.24所示,为了更加准确地研究撑杆不同位置处受到的波浪砰击压力,选取关注点1,这里简化为P1(P为关注点,point 简称)、P2、P3、P4、P5 和 P6 为砰击压力关注点。这样做的目的是因为半潜式平台是高度对称的,只需要研究撑杆一半结构受到的波浪砰击即可。将点 P1、P3 和 P5 取相同高度,标记为 Rt 行,将点 P2、P4 和 P6 取相同的高度,标记为 Rd 行。

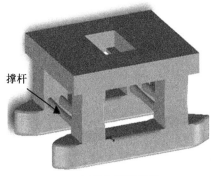

(a)平台数值模型

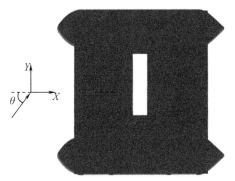

(b)平台坐标系

图6.23 半潜式海洋平台模型和平台坐标系

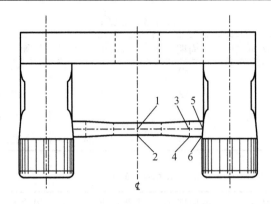

图 6.24　半潜式海洋平台撑杆关注点布置位置

6.3.3　参数敏感性分析

1. 波陡敏感性

波陡度参数 KA（$K=2\pi/L$，K 为波数，L 为波长，A 为波幅）对波的非线性特性有非常显著的影响。一般情况下，水粒子最大速度的变化对于波陡参数的变化非常敏感。而撑杆作为平台高度很低且是细长的结构，经常会受到波浪的砰击。因此，有必要研究不同陡波 KA 参数对半潜式平台撑杆砰击压力的敏感性。图 6.25 为当波高 8 m 时，通过改变波浪周期的 4 个不同波陡度参数 KA 对应的砰击压力时程曲线。波陡度参数 KA 为 0.06 ~ 0.16。结果表明，随着 KA 值的增大，撑杆受到的波浪砰击压力呈现逐渐增大的规律。如图 6.25(a)所示，P1 处的峰值波砰击压力比 P2 ~ P6 处的峰值波砰击压力小 20% 左右。这是因为 P1 位于平台的中间，物理位置非常高且非常靠后。两边的波相互碰撞，消耗了更多的能量，所以 P1 受到的砰击压力很小。从图 6.25 (a) 至(c)可以看出，随着波陡度参数的减小，P1、P3、P5 处的波浪砰击压力峰值减小为 0，而其余 3 点的峰值砰击压力也较小。这充分说明小波陡度对平台的波浪砰击不太明显，不能完全对撑杆产生砰击作用，这可能与小波陡时平台的运动较为缓和有关系。例如，当波陡参数为 0.063 时，Rt 行波浪砰击压力比 Rd 行小 10 ~ 20 kPa，波浪并没有砰击 Rt 行。这是因为当平台底部浮箱和垂直支柱反射波浪时，波浪叠加在平台撑杆的中部和两侧形成叠加波浪。而 Rt 行位置较高，小波陡的波浪不能砰击到 Rt 行，只能砰击到 Rd 行。从图 6.25(a)、(c)和(d)可以看出，当波陡度参数为 0.161 和 0.112 时，Rt 行存在负压现象。这是由于 KA 很大，平台运动过程中，撑杆前的波浪会叠加，并短暂地撞击 Rt 行。由于位置非常高，在撞击后波浪迅速消退，没有空气及时补充，从而产生负压。同时，由于 Rd 行不能完全脱离水，所以 Rd 行不会产生很大的负压。

2. 浪向角敏感性

波浪入射角对撑杆的波浪砰击有非常重要的影响。入射角不仅会改变平台的运动，而且由于浮筒和立柱的遮蔽作用，还会引起波浪的不均匀砰击。这里对波浪压力关注点的选择要与上述几节有所差别，浪向角的存在会使得波浪在一侧叠加，在另一侧由于立柱和浮箱的遮蔽效应形成漩涡，严重影响波浪砰击的峰值压力。图 6.26(a)为撑杆上的新砰击压力关注点的物理位置，即在撑杆的整个迎浪面处均设置砰击压力关注点。图 6.26(b)为半潜式平台在斜浪工况下的浪向角示意图。

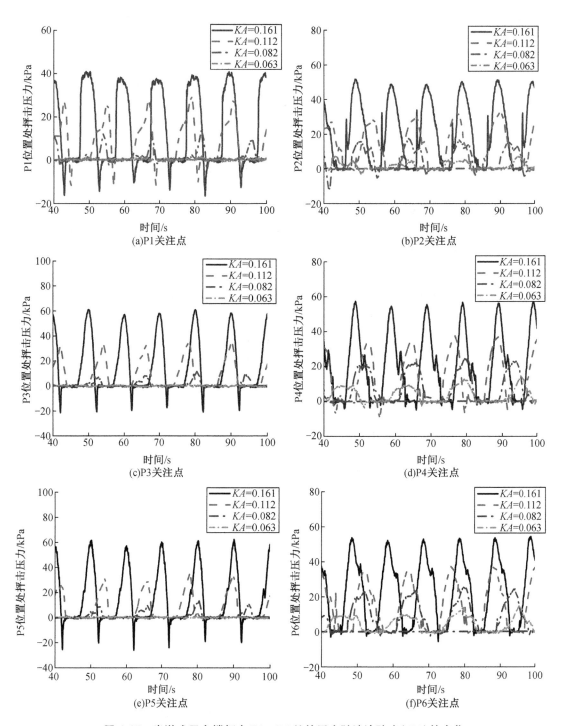

图 6.25　半潜式平台撑杆在 P1 ~ P6 处的压力随波浪陡度（*KA*）的变化

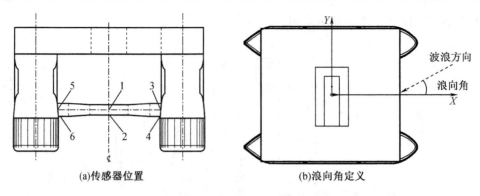

(a)传感器位置　　　　　　　　　(b)浪向角定义

图6.26　撑杆上的砰击压力传感器位置和浪向角

在浪向角为0~45°,对波浪入射角对撑杆受到的砰击压力进行了较好的研究。图6.27为P1~P6处的砰击压力时程曲线结果,$H=8$ m,$T=10$ s,$V_c=10$ m/s,$V_f=22.35$ m/s。如图6.27(a)至(b)所示,随着入射波角度的增大,P1~P6处的峰值砰击压力越来越小。此外,在入射波角为45°时,各点的峰值砰击压力明显减小。从图6.27(c)可以看出,在浪向角为45°时,P4处没有波浪砰击压力,这是由于立柱和浮筒的屏蔽作用,导致在该处的波浪高度出现了明显的降低,形成一个小漩涡,从而影响了波浪对该关注点的砰击。同时,从图6.27(c)可以看出,当入射波方向为0~30°时,P3处的峰值砰击压力降低率比其他点大20%~30%。如图6.27(e)至(f)所示,当入射波角逐渐增大时,P5和P6处的峰值砰击压力比其他点大5~10 kPa。其中,P6关注点处的砰击压力减小幅值在这6个点中是最小的。这可能是由于在浪向角为45°时,P5和P6位置处由于立柱的阻挡作用,波浪在此处发生严重叠加,从而造成了该处波浪砰击压力要明显大于剩余几点的波浪砰击压力。

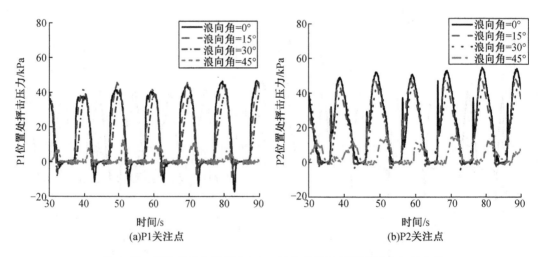

(a)P1关注点　　　　　　　　　(b)P2关注点

图6.27　半潜式平台撑杆在P1~P6处的压力时程随浪向角的变化

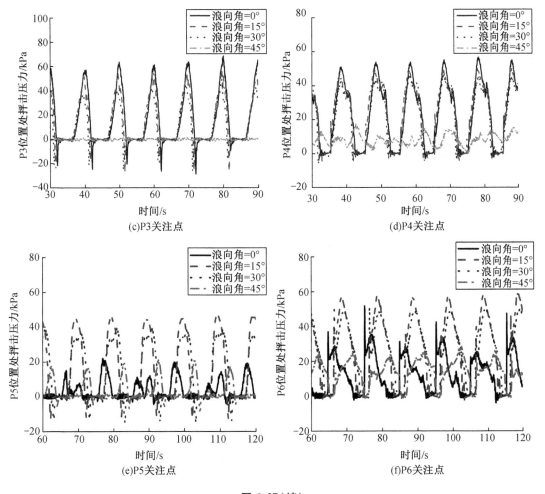

图 6.27（续）

3. 流速敏感性

在研究不同流速对撑杆砰击压力的影响时,把风速 V_f 设为 17.88 m/s(蒲氏风级 8 级大风),实际波高 $H = 8$ m,实际波周期 $T = 10$ s,以研究流速的变化对撑杆受到的砰击压力的影响。流速 V_c 分别取 $V_{c1} = 1.79$ m/s、$V_{c2} = 2.68$ m/s、$V_{c3} = 3.58$ m/s、$V_{c4} = 4.47$ m/s、$V_{c5} = 5.36$ m/s。选取的 P1 ~ P6 的 6 个不同关注点的波浪砰击压力时程曲线如图 6.28(a)至(f)所示,可以直观看到砰击压力的作用周期与流速大小有关,不同的流速影响下的波浪砰击压力呈现一定的相位差。这可能与流速影响下的波浪速度发生改变有关系。针对不同流速的时程曲线,可以看出除了 P2、P4 和 P6 处之外,随着流速的增加,撑杆受到的砰击压力越来越大。其中,P5 处随着速度的增加,砰击压力增长幅度最大,约为 7.165%。从图 6.28(d)和(f)中可以发现随着流速的增加,P4 和 P6 处受到的砰击压力呈现减小的趋势。同时,在流速为 1.79 m/s 时,从砰击压力时程曲线可以看出,当波浪正面砰击海洋平台时,P2、P3、P4、P5 和 P6 处最大受力基本在 50 ~ 60 kPa。而受力最小处是 P1,P1 处在 1.79 m/s 的流速下,最大砰击压力稳定在不到 41 kPa,与其余几点相差 20% ~ 30%。这可能是由于变径撑杆直径较大处最先接触波浪且受到立柱和浮箱的波浪反射作用,受到的砰击压力比较大,而中间部分直径较小,P2 处相对于 P1 处位置靠下,并由于平台自身运动直接与波浪发生砰击。因此,P2 处虽然与 P1 处同处于一列,但是受到的最大砰击压力要大于 P1 处。另外,从图 6.28 (b)、(d)和(f)可以看到,P2、P4、P6 处几乎不会出现负压力的现象。负压主要出现在 P1、P3 和 P5 处,其中图 6.28 (e)对应的 P5 处出现的负压最大,达到了 25 kPa 左右。

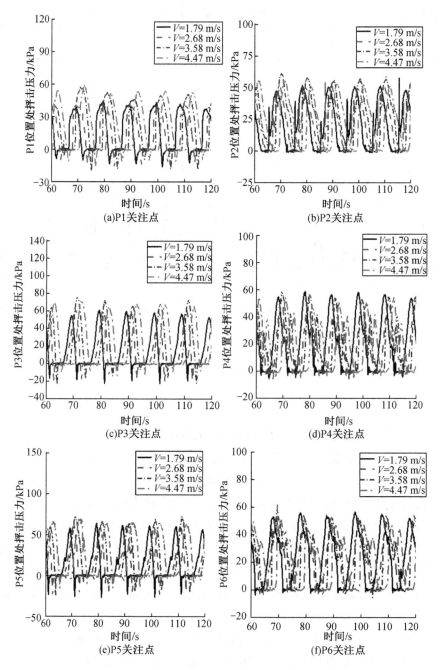

图 6.28　半潜式平台撑杆在 P1 ~ P6 处的压力时程随流速的变化

　　图 6.29 为流速 $V_c = 2.68$ m/s、风速 $V_f = 17.88$ m/s、波高 $H = 8$ m、波周期 $T = 10$ s 条件下不同关注点撑杆的波浪砰击压力空间分布规律。从图中可以看出，P1 关注点处的波浪砰击压力峰值是最小的，从而验证了波浪砰击压力变化规律。靠近立柱位置的关注点 P3 、P4、P5 和 P6 位置处的波浪砰击压力峰值相差不大。同时，出现负压现象的 3 个关注点中 P1 负压最小，P3 和 P5 处为最大负压出现部位，剩余 3 点几乎没有负压。这直观地阐述了波浪砰击压力在撑杆上的分布规律与变化特性，为撑杆的前期结构设计及强度校核具有十分重要的参考意义。

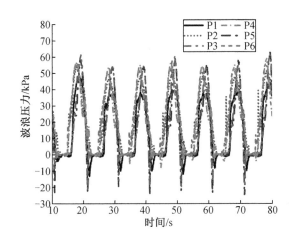

图 6.29　半潜式平台撑杆在 P1 ~ P6 处的压力随流速的变化

6.3.4　砰击压力无量纲系数敏感性分析

　　为了更好地分析砰击压力的特性，对同一工况下，不同点处的砰击压力进行无量纲分析，其处理后的压力系数 P^* 表示为

$$P^* = \frac{P_i}{0.5 \rho C^2} \tag{6.1}$$

式中　C——波浪的相对速度，等于 $\dfrac{\lambda}{T_z} + C_{current}$，其中，$C_{current}$ 为流速，λ 为波长，T_Z 为波浪周期。

　　P_i——任意关注点的峰值压力；

　　ρ——流体密度。

　　由于波浪砰击作用的周期性和随机性，定义将模拟时间内砰击压力历时曲线中的正压（负压）的压力峰值从大到小排列，将 1/3 的最大值取平均数，作为其峰值砰击压力。

　　1. 波陡敏感性

　　在研究波陡参数对拖航工况下撑杆受到波浪砰击压力系数影响的时候，选择在波陡参数为 0.06 ~ 0.16 对撑杆受到的砰击压力进行详细的研究。图 6.30 为 P1 ~ P6 处在波陡参数为 0.06 ~ 0.16 砰击压力系数的变化结果，$H = 8$ m，$V_c = 10$ m/s，$V_f = 22.35$ m/s。如图 6.30(a)所示，随着波陡参数的增大，P1 ~ P6 处的峰值砰击压力系数越来越大；还可以看出,随着波陡参数从 0.06 增加到 0.16,砰击压力系数增大了 6~7 倍。这说明波陡参数的变化对波浪砰击压力系数的变化是非常敏感的。从图 6.30(a)中还可以看出在波陡参数增加的情况下,P3 和 P5 处的砰击压力系数增加量普遍大于其余几点。这是由于在波陡参数增加的情况下,P3 和 P5 处更容易受到立柱和下浮体的波浪反射效应而发生聚集,造成波浪速度和波高普遍增加,加上波浪周期较小时,上一个波浪未消减,下一个波浪再次与之前的波浪叠加,导致 P3 和 P5 处的砰击压力大于其余几点,进而其砰击压力系数也大于其余几点。还可以看出,随着波陡参数达到最大的 0.16,在 P1 处的砰击压力系数明显小于其余几点。这是由于 P1 处于半潜式平台中线位置处,由于此处撑杆的直径最小,P1 位置处最靠上,而且点 1 的位置要比撑杆两端位置处的关注点更加靠后,因此造成了该点在波浪周期较小时即波陡参数较大的情况下,该点的砰击压力系数最小。

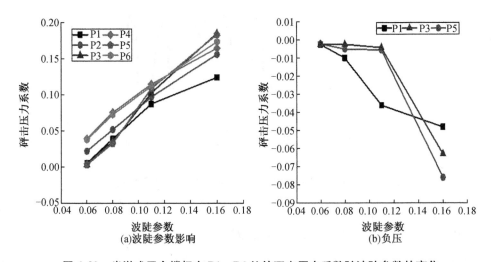

图 6.30   半潜式平台撑杆在 P1~P6 处的砰击压力系数随波陡参数的变化

图 6.30(b)的负砰击压力系数是由于砰击压力方向导致的。从图 6.30(b)中可以看到随着波陡参数的增加,P1、P3 和 P5 处的波浪砰击压力是逐渐增大的。对负压来说,P5 位置处受到最大的负压力,P1 位置处受到的负压力最小,这与波浪砰击正压力的变化情况是相同的。

2.浪向角敏感性

在浪向角为 0~45°研究波浪入射角砰击压力系数产生的影响。图 6.31 为 P1~P6 处在 0~45°砰击压力系数的变化结果,$H = 8$ m, $T = 10$ s, $V_c = 10$ m/s, $V_f = 22.35$ m/s。如图 6.31(a)所示,随着入射波浪角度的增大,P1~P4 处的峰值砰击压力系数越来越小。从图 6.31(a)中可以看出,在入射波浪有角度的情况下,P6 处的砰击压力系数普遍大于其余几点。结合图 6.32 进行分析,这是在入射波浪有角度的情况下,P6 处波浪发生聚集而造成波浪速度和波高普遍增加,导致 P6 处的砰击压力大于其余几点,从而导致其砰击压力系数也大于其余几点。还可以看出,随着入射波浪角度达到最大 45°时,在 P3 处的砰击压力系数明显小于其余几点,并且其砰击压力系数的减少幅值也是最大的。这是由于 P3 和 P4 处靠近立柱和下浮箱,在大角度浪向的工况下,立柱和下浮箱对 P3 和 P4 处的遮蔽效应非常明显,而 P3 处的空间位置又非常靠上,因而导致了在大角度浪向的工况下,该点的砰击压力系数最小。同时从波浪砰击压力系数曲线中可以发现,在浪向角为 15°时,P5 和 P6 处的砰击压力系数有一个增加的幅度。

图 6.31（b）的负砰击压力系数是由于砰击压力方向导致的。从图 6.31（b）中可以看出,当波浪入射角度为 45°时,P5 关注点处波浪砰击压力系数也明显大于其余两点。因为 P5 处来自立柱部位的波浪和原方向前进的波浪堆叠,导致压力系数偏大。可以看到 P3 位置处的砰击压力系数受到浪向角的影响最大,其中对 P3 处的波浪砰击压力系数影响最大的是与平台呈夹角为 45°的波浪。

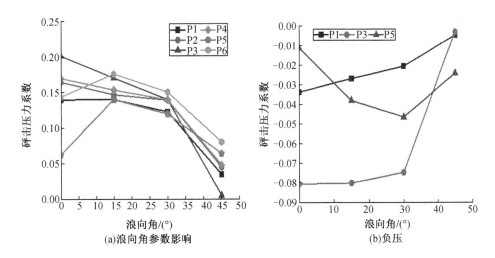

(a)浪向角参数影响　　(b)负压

图 6.31　半潜式平台撑杆在 P1～P6 处的砰击压力系数随浪向角的变化

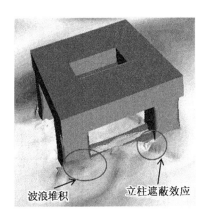

图 6.32　45°浪向角下波浪面变化

3.流速敏感性

本节流速设为 $V_1 = 1.788$ m/s, $V_2 = 2.682$ m/s, $V_3 = 3.576$ m/s 和 $V_4 = 4.47$ m/s。图 6.33 呈现的是砰击压力关注点 P1～P6 处在流速为 1.788～4.47 m/s 砰击压力系数的变化结果。其余各波浪参数分别为 $H = 8$ m、$T = 10$ s、$V_f = 22.35$ m/s,平台处于迎浪状态。如图 6.33（a）所示,随着流速的增加,P1、P2、P3、P5 处的峰值砰击压力系数整体呈现增大的趋势。

这说明在一定范围内,随着流速的增加,砰击压力系数呈现显著增加的趋势,砰击压力系数变化最明显的部位是 P1、P3 和 P5 处。而当流速大于 3.576 m/s 时,砰击压力系数开始出现明显的下降。这说明波浪砰击压力系数的变化并不是随着流速的增加而一直增加。通过结合图 6.34 平台的纵摇历时曲线进行分析,其原因可能是流速为 3.576 m/s 时,对半潜式平台纵摇的影响程度要显著大于流速为 4.470 m/s 时影响的程度,幅度较大的纵摇运动导致了数值较大的波浪砰击压力,负的砰击压力值也相应地变大。

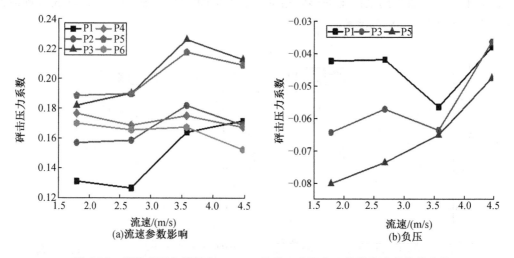

图 6.33　半潜式平台撑杆在 P1～P6 处的砰击压力系数随波陡参数的变化

图 6.33(b)的负砰击压力系数的负数只代表方向。从图 6.33(b)中可以看出,随着流速的增加,P5 处的波浪砰击压力系数减小得非常明显,其余两点受到的砰击压力呈现有增有减的趋势。这可能是由于 P5 处最靠近立柱和浮箱,受到两者的波浪反射作用,随着流速的增加,波浪在两处的叠加效果减弱,从而导致波浪砰击压力偏小。

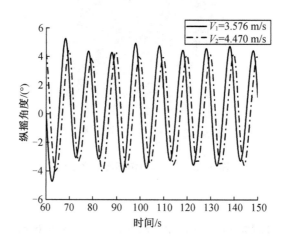

图 6.34　半潜式平台在不同流速下的纵摇曲线

6.3.5　瞬态砰击压力分布特性分析

图 6.35(a)至(d)为波高 $H = 8$ m、波周期 $T = 10$ s、流速 $V_c = 2.23$ m/s、风速 $V_f = 17.88$ m/s 海况下在一个波浪周期内的迎浪面第一根撑杆表面的砰击压力云图。选择第 1 根撑杆的原因是,在波浪传递过程中,波浪直接砰击的第 1 根撑杆承受波浪最大的砰击压力,因此只要得到第 1 根撑杆的表面砰击压力分布规律即可。后面 3 根撑杆在设计过程中只需达到第 1 根撑杆的强度标准即可满足要求。从图 6.35 中可以看出,撑杆中间和两端部分始终是受到砰击压力最大的位置,验证了我们所选取的关注点位置的合理性,并且证实了同一流速下不同点受到的砰击压力的变化规律。

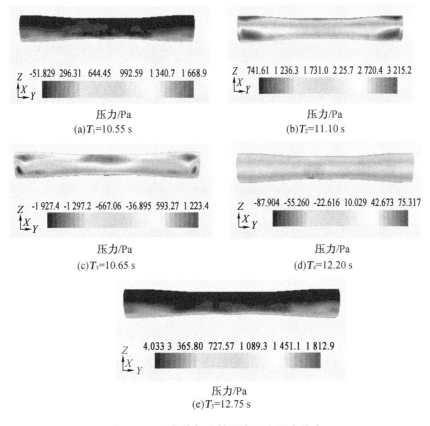

压力/Pa
(a)T_1=10.55 s

压力/Pa
(b)T_2=11.10 s

压力/Pa
(c)T_3=10.65 s

压力/Pa
(d)T_4=12.20 s

压力/Pa
(e)T_5=12.75 s

图 6.35　平台首部立柱瞬态砰击压力分布

图 6.36(a)至(e)为一个波浪周期内 4 根撑杆表面波浪砰击压力云图。从图中可以发现平台首部 2 根撑杆因为处在迎浪面最前端,始终为承受波浪砰击压力最大位置。而平台尾部 2 根立柱承受的压力始终最小。这是由于平台对波浪的反射效应,平台在流经立柱时,波浪发生较大能量的衰减,以至于波浪传递到后 2 根立柱时,所产生的砰击压力比较小。虽然由于平台和后 2 根撑杆的遮蔽和阻挡效应,4 根撑杆之间的波面会有所提升,但是此时的波浪速度会有所下降,后面 2 根撑杆受到的砰击压力很小,主要为水波动压力,这是量级上的差距。

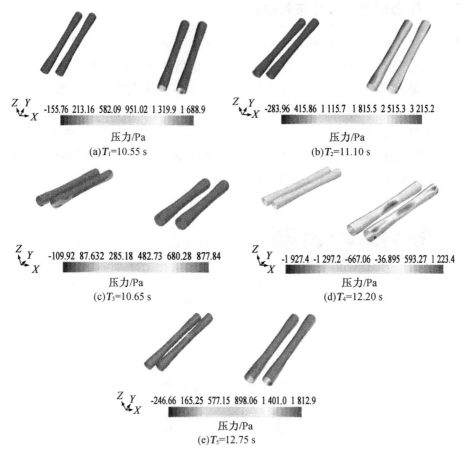

图6.36 平台4根立柱瞬态砰击压力分布

6.3.6 拖航工况下水脊现象分析

撑杆前自由波面变化如图6.37所示,用于研究波浪对撑杆砰击压力的影响。图6.37(a)显示半潜式平台的头部是上下垂直运动的,在这个过程中,浮筒挤压波浪,并叠加在撑杆的两侧。叠加波的能量远远大于正常运动波的能量。因此,撑杆两侧的砰击压力峰值大于撑杆中间位置的砰击压力峰值。随着运动的继续,不同方向的波在平台的中间碰撞和叠加。同时,在柱前形成一个高度高、能量大的水脊(water ridge)。如图6.37(b)所示,一方面水柱会被水脊撞击,这个过程消耗了大量的波能;另一方面,P1的物理位置比较高。因此,点1处的撞击压力小于其他点。P1、P3和P5处比其余3点更早受到海浪的砰击。当波浪砰击撑杆的前壁时,波浪能量迅速衰减。因此,P4和P6处的峰值撞击压力小于P3和P5处的峰值撞击压力。从图6.37(c)中可以看出,当后续波向立柱移动时,柱前的聚集波与后续波叠加,会使较严重的波在柱前继续叠加。从图6.37(d)可以看出,随着半潜式海洋平台首部上升,波浪与海洋平台分离。由于Rt的物理位置比Rd高,所以波浪完全脱离了Rt行。Rt行在波浪脱离后处于真空状态产生负压,但是Rd不能完全脱离波浪的砰击。

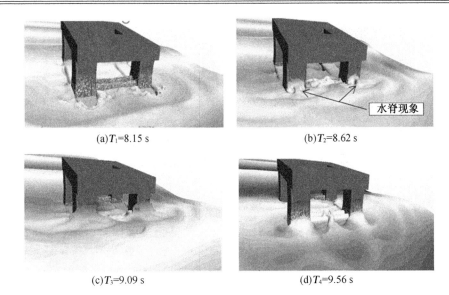

(a)T_1=8.15 s　　　　　　　　　　(b)T_2=8.62 s

(c)T_3=9.09 s　　　　　　　　　　(d)T_4=9.56 s

图6.37　不同时刻自由面在波周期内的变化

在拖曳水池的拖航试验过程中充分捕捉到了数值模拟阶段产生的水脊现象。图6.38为半潜式平台柱在拖曳工况下在不同波陡 KA 的情况下水脊的变化。从图6.38(a)至(b)可以看出,随着 KA 的增大,立柱前水面逐渐发生变化。从图6.38(a)可以看出,在立柱前没有出现波浪爬升和堆积的现象。但随着波陡度 KA 的增大,波的叠加效应在立柱前端变得越来越明显。从图6.38(b)至(c)中波浪面的变化情况来看,验证了在数值模拟中形成的水脊特征。在波浪砰击过程中,水脊随着 KA 的增加而逐渐升高,波浪砰击效应显著增大。研究充分验证了波浪砰击和爬升数值模拟的准确性。从图6.38(d)中可以发现,当波陡度参数很大时,波在柱前快速碰撞,同时平台运动幅值较大。最后,水脊的形成非常短暂,变成了非常激烈的波浪砰击。图6.39(a)和(b)为在相同工况下撑杆进出水面时波面叠加的情况。从图6.39(b)中可以清楚地看到,在撑杆脱离水面时,撑杆中间位置会出现明显的水脊现象,这对砰击压力有一定的影响。

(a)KA=0.063　　　　　　　　　　(b)KA=0.082

图6.38　半潜式平台在不同波陡的拖曳工况下立柱前水脊的变化

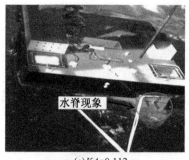

(c)KA=0.112　　　　　　　(d)KA=0.161

图 6.38(续)

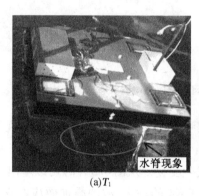

(a)T_1　　　　　　　(b)T_2

图 6.39　半潜式平台撑杆前部在拖航状态下的水脊变化

6.4　本章小结

本章依据 CFD 软件 STAR-CCM + 中的重叠网格技术对半潜式平台及其锚泊系统建立了全耦合模型,借助 VOF 法捕捉自由液面。在自存工况下对平台整体六自由度运动进行了研究。通过在双层甲板下端、立柱前端建立的监测点来测量对应结构受到的波浪砰击载荷,研究得出立柱及甲板砰击压强分布规律,分析了浪向角、流速、周期、波高等参数对波浪砰击敏感性的影响,在数值模拟中对立柱及甲板表面压强峰值分布区域进行研究,总结压强分布区域随时间变化的规律。最终得出以下结论。

(1)负气隙主要位于立柱上方的甲板处,且上游甲板处负气隙现象更为明显。

(2)上游立柱所受砰击压强总体大于下游立柱,下甲板所受波浪砰击峰值发生在甲板与立柱交界处,且非线性特征更为明显。

(3)立柱上发生的波浪砰击随高度的增加逐渐减小,但与甲板交界处有明显的增大。甲板上发生的波浪砰击主要发生在与上游立柱相接处,在甲板箱上游侧中线处则无明显砰击现象。

(4)正浪方向的迎浪面立柱和甲板产生的波浪砰击大于斜浪与横浪时的砰击值。

(5)流速对砰击压强有显著的影响,砰击值随流速先增大后减小,在 $V = 2.15$ m/s 时达到最大。

（6）甲板与立柱交界处所受波浪砰击与波高关系密切,随波高的增大而增大。远离立柱的甲板所受波浪砰击不显著,且与波高无明显关系。

在拖航工况下,撑杆受到波浪砰击的压力。本章主要从波陡、流速和浪向角三个方面对波浪砰击压力特性和敏感性进行研究。之后对波浪砰击压力峰值进行了无量纲化处理,分析了波陡、流速和浪向角参数变化对砰击压力系数的影响规律。研究撑杆表面压力分布区域,得出了撑杆表面区域的砰击压力变化规律。在数值模拟阶段,立柱和撑杆前段出现水脊现象,导致水脊发生部位受到较大的波浪砰击压力。在实际拖曳水池的半潜式海洋平台的拖航试验中捕捉到了这一现象,验证数值模拟部分对波浪和平台运动模拟的准确性。最终得到以下结论。

（1）详细研究了半潜式平台撑杆波浪砰击及参数影响机理和敏感性。对半潜式平台撑杆在拖航工况下的波浪砰击进行了预报。研究发现波浪陡度（KA）对撑杆的波浪砰击压力影响显著。随着波浪陡度参数（KA）的减小,撑杆受到的砰击压力呈现减小的趋势。撑杆两端处的砰击压力普遍大于撑杆中间位置处,负压只在较高的位置产生。

（2）流速的变化对撑杆受到的波浪砰击压力影响也非常显著,随着流速的增加,撑杆水平径向关注点受到的波浪砰击压力逐渐增加,而竖直径向关注点受到的砰击压力却逐渐减小。同时,当流速较大时,撑杆靠近立柱的最下方关注点的波浪砰击压力呈现"双峰现象"。

（3）对于有角度的拖航工况来说,随着入射波与半潜式平台夹角的增大,对波浪砰击最敏感的位置为撑杆两端。

（4）通过对砰击压力系数无量纲化处理,求出波陡（KA）、流速（V_c）和浪向角作用下砰击压力系数的变化规律。通过给出瞬态撑杆表面砰击压力云图,得出撑杆两端砰击压力较大的分布特性,为海洋平台的设计提供了理论支持。

第7章 典型半潜式平台畸形波作用下波浪砰击载荷分析

7.1 畸形波数值水池模拟方法

7.1.1 畸形波研究方法

对于畸形波的模拟方式,大致分为两个:试验模拟和数值模拟。由于现场试验的复杂性,畸形波生成的特殊性和随机性,模型尺度效应,以及试验场地、经费等诸多条件的限制,试验室模拟畸形波的方法并不是十分成熟。因此,大多数研究者开始青睐并不复杂的数值模拟。数值模拟方法大致可以分为非线性模拟方法和线性模拟方法。深水非线性薛定谔方程、Zakharov 方程、DS 系统等非线性方程是非线性模拟的主要参考理论。虽然非线性理论能够很好地模拟畸形波的生成,但是非线性方法的工程应用率不高,且需要的波浪数量较多,很难应用于试验室模拟造波。因此,线性叠加法成了在试验水池和数值模拟水池的常用手段,本节的造波方法是以经典的 Longuet-Higgins 模型为依托,线性叠加 20 个不同的余弦波。为了将大部分波的能量集中,我们设置 4/5 的波的初相位为 0,并对模拟波的波高进行了修正。

进行畸形波模拟的波列叠加模型为

$$\eta(x,t) = \sum_1^M a_i\cos(k_i x + \omega_i t + \varepsilon_i) \tag{7.1}$$

一般取 $x=0$,将上式简化为

$$\eta(x,t) = \sum_1^M a_i\cos(\omega_i t + \varepsilon_i) \tag{7.2}$$

$$\sum_{\omega_i}^{\omega_i+\Delta\omega} \frac{1}{2}a_i^2 = S(\omega_i)\Delta\omega \tag{7.3}$$

式中 M——波个数;

a_i、ω_i——分别为第 i 组波浪的振幅和频率;

ε_i——第 i 组波浪在$(0,2\pi)$范围内随机取值的初相位;

$\Delta\omega$——频率差值;

$\eta(x,t)$——各个波的波高;

$S(\omega_i)$——海浪谱密度函数。

为了更加精确求解,对上述模型表达式所求波浪高度进行修正,即添加一个波高项的

修正函数,以达到更加精确的波高高度。加入波高修正项后的公式如下:

$$\eta(x,t) = \sum_{2}^{20} a_i \cos[k_i(x - x_c) + \omega_i(t - t_c) + \varepsilon_i] +$$
$$a_m a_1 \cos[k(x - x_c) + (\beta_m \omega_1)(t - t_c)] \tag{7.4}$$

$$\sum_{\omega_i}^{\omega_i + \Delta\omega} \frac{1}{2} a_i^2 = S(\omega_i) \Delta\omega \tag{7.5}$$

$$S(\omega_i) = \frac{0.008g^2}{\omega_i^5} \exp\left(-\frac{0.74g^4}{u_{19.5}^4 \omega_i^4}\right) \tag{7.6}$$

$$u_{19.5} = 6.85 \sqrt{H_s} \tag{7.7}$$

$$\omega_i^2 = k_i g \times \text{th} kd \tag{7.8}$$

式中　thkd——约等于1,水深较大时;

　　　ω_i^2——等于$k_i g$,水深较大时;

　　　$u_{19.5}$——从海面至高度为19.5 m处的风速;

　　　g——重力加速度;

　　　t_c——畸形波发生时间;

　　　x_c——畸形波出现的位置。

7.1.2　数值水池的模拟

　　本章仍采用典型双浮体4立柱半潜式平台为研究对象,研究分析畸形波流场环境条件。为了使数值模拟的波浪更加准确,必须要设置自由液面加密。图7.1为三维数值水池的网格加密,其尺寸约为基础尺寸的1/2。图7.2所示为计算域三维尺寸:4.5L×2L×1L,水池入口距离平台首部2.4L,水深2L,消波区域长度1.4λ。波浪从入口处沿着X轴负方向运动。其中L和λ分别代表平台总长度和波长。本章模型尺寸采用原比例进行计算,可以降低因为缩尺比带来的尺寸效应,保持计算域网格和动网格基础尺寸的一致性,并且对波浪面进行面网格的加密,能够更加准确地描述实际波浪特点。对畸形波模拟的计算域的消波方式仍采用阻尼消波的方法。数值水池的入口设为速度进口,作为波浪的开始输入位置。数值水池的出口设置为压力出口,并在该出口位置处设置阻尼消波。数值水池两侧、底部设置为壁面。

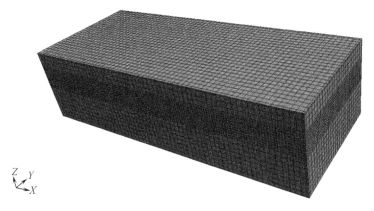

图7.1　三维数值水池网格加密

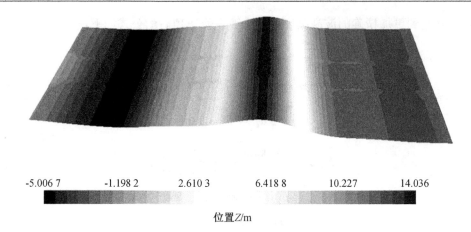

-5.006 7　　　-1.198 2　　　2.610 3　　　6.418 8　　　10.227　　　14.036

位置Z/m

图7.2　三维数值水池

本书的自由液面采用棱柱层网格划分,自由液面以外部分采用切割体网格划分。本节数值模拟采用实尺度模型,可以有效地减少缩尺比问题,更加准确地模拟平台受到的波浪砰击和真实复杂的流场。畸形波波浪的数值模拟的网格设置方法与前几节网格设置方法相似,最重要的是重叠网格要和计算域的网格尺寸保持一致。本节的计算模型是实尺度计算模型,因此重叠网格的基础尺寸大约取平台总长的1/25,即4 m。其计算域和重叠区域的最小网格尺寸均设置为1.6 m,对于重叠区域的物体表面的棱柱层网格,设置为8层,总厚度为0.3 m。为了使模型的网格更加细腻和准确,对重叠网格和模型面网格又进行了加密,目标的最小表面尺寸设置为0.4 m。

7.1.3　数值波浪畸形波验证

对上述网格尺寸进行大致确定后,需要将模型和数值波浪水池进行组合,这里对平台的运动进行的模拟还是要用到第3章的重叠网格方法。为了更加准确地模拟平台在拖航工况下遭遇畸形波的波浪砰击,航速设置为2 m/s,风速为10 m/s。波浪水池的数值模拟畸形波的高度校核采用统计方法,对40~400 s的模拟时间内的21个波进行数值统计,对其有效波高进行计算,并对畸形波的高度进行统计。这里定义波列的有效波高的方法是将该波列的波高按照从大到小的顺序排列,取其中波高最大值的1/3值作为该波列的有效波高的高度。最终验证,统计畸形波的参数是否符合目前学术界判定畸形波的方法如下。

(1)畸形波的最大波高与有效波高之比要≥2。

(2)畸形波的最大波高与左右相邻时间序列上的波高的比值要>2。

(3)畸形波的波峰与波高的比值≈0.65。

上述几条为畸形波成立的3个基本条件,缺一不可。早期,多数研究主要集中在前2个条件,即认为满足前2个条件即可。但是畸形波的发生和波高等现象具有高度的非线性,因此加入条件3,条件3是为了体现畸形波的高度非线性。

图7.3是在数值水池某一关注点位置符合畸形波3个判定条件的波高历时曲线。对其3个条件进行验证,该波列的有义波高为13.10 m,其畸形波波高与波列有效波高的比值为2,波峰值达到了18.04 m。其畸形波的波高/相邻两波高为2.2和3.6,其畸形波的波峰和

波高的比值为 0.69,均符合畸形波的定义。如图 7.4 所示,在正式进行模拟之前,会将平台移动到此处来模拟畸形波的砰击。

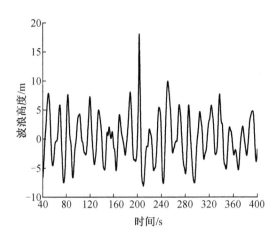

图 7.3 关注点波高历时曲线

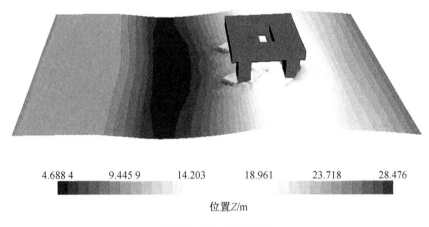

图 7.4 数值模拟过程

7.2 拖航工况下半潜式平台畸形波作用下的砰击压力分布

7.2.1 引言

众所周知,畸形波的出现具有瞬时性、突发性,而且波高巨大,能量集中较大,会产生非常大的波浪砰击。于是畸形波的产生机制、演化方式,畸形波对海洋平台作用的特点,如幅度较大的非线性运动、砰击压力、气隙、波浪爬升等成为研究的主要内容。由于畸形波的发生概率和复杂性,现场试验观测会存在诸多复杂性,试验水池生成畸形波的技术尚未完全成熟,因此数值模拟成为研究畸形波的一个重要手段。

7.2.2 撑杆压力关注点布置

图 7.5 为半潜式平台撑杆上关注点的布置位置,由于平台的对称性,一共设置 6 个关注点,从平台中线位置处沿 + Y 坐标轴开始,分别以 D1 ~ D6 作为这 6 个点的命名。D3 和 D4 为撑杆的直径发生变化的位置处,受到的砰击压力区别于中杆中间处,因此需要对其砰击压力规律进行仔细探讨。D5 和 D6 位置受到下浮体和立柱的反射作用,砰击压力的变化也较为特别,因此需要对这几点的砰击压力规律进行总结。撑杆作为整个海洋平台最为细长的圆柱状结构,其强度要比平台的其他部位小得多,极容易遭受波浪砰击载荷的作用。撑杆一旦被破坏,对海洋平台整体结构安全和平台力的传递会产生极其重要的影响,因此选择立柱上这几个典型位置进行波浪砰击压力的监测。表 7.1 为撑杆上砰击压力各关注点坐标值。

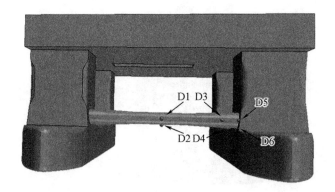

图 7.5 半潜式平台撑杆上关注点的布置位置

表 7.1 撑杆上砰击压力各关注点坐标值

关注点	横坐标 X/m	纵坐标 Y/m	垂坐标 Z/m
D1	33.0	0	12.55
D2	31.4	0	10.95
D3	33.4	15.0	12.55
D4	31.4	15.0	10.55
D5	33.4	19.0	12.55
D6	31.4	18.8	10.55

7.2.3 立柱关注点布置

立柱作为半潜式海洋平台撑杆上层建筑的主要结构,直接受到波浪的直接砰击,并且因为其广大的受力面积,成为半潜式海洋平台在波浪砰击过程中的主要受力部位。图 7.6 为半潜式平台立柱关注点的布置位置,一共设置 6 个关注点,从立柱中间位置处沿 + Z 坐标轴开始,分别以 H11 ~ H16 作为这 6 个点的命名。这是由于支柱中间位置处容易发生加大的波浪叠加和砰击的过程,需要对畸形波的波浪砰击压力在立柱上沿 +Z 方向的分布规律进行详细研究。

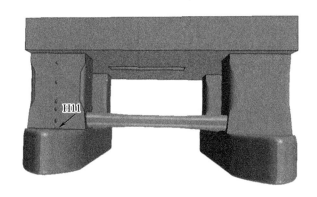

图 7.6　半潜式平台立柱关注点的布置位置

立柱上砰击压力关注点的坐标值见表 7.2。

表 7.2　立柱上砰击压力关注点的坐标值

关注点	横坐标 X/m	纵坐标 Y/m	垂坐标 Z/m
H11	35.25	−27.0	10.05
H12	35.25	−27.0	12.05
H13	35.25	−27.0	15.05
H14	35.25	−27.0	17.05
H15	35.25	−27.0	22.05
H16	35.25	−27.0	27.05

7.2.4　平台关注点砰击压力特性分析

1. 撑杆

为了研究畸形波对撑杆砰击压力的影响,把流速 V_c 设置为 2 m/s,风速 V_f 设置为 10 m/s,水深为 90 m,来讨论畸形波对撑杆受到的砰击压力的影响。撑杆上关注点的选取位置在 7.2.2 节中已详细给出。选取的 D1 ~ D6 的 6 个不同关注点的波浪砰击压力历时曲线如图 7.7(a)至(f)所示,可以直观看到撑杆受到的砰击压力在畸形波砰击的时候明显地增大。其中,D2 处受到的畸形波的砰击压力最大,约为 85.3 kPa。而 D4 和 D6 位置处受到的畸形波的砰击压力最小,分别为 52.5 kPa 和 58.3 kPa。与规则波受到的砰击时最小砰击压力只出现在 D1 位置处不同的是,畸形波砰击时出现最小砰击压力的位置是在 D4 和 D6 位置处。分析其中的原因可以发现,D4 和 D6 位置较为特殊。D4 和 D6 处位于撑杆的最两边,立柱最下端,位置十分靠近下浮箱,在畸形波这样极端不规则波浪的作用下,立柱和浮箱的遮蔽作用被放大,使 D4 和 D6 位置处受到的砰击较小。而规则波的波高较小,使得平台在运动过程中撑杆能够露出水面,D6 位置仍能获得较大的波浪砰击。而从图 7.7(f) 中可以发现,D6 处的负压为 4.6 kPa,远远小于其余几点,说明遭遇畸形波砰击的时候,平台吃水保持在较高的水位,D6 处不会出现波浪脱离的现象,就不会造成过大的负波浪砰击压力。另外,从图 7.7(a) 可以看出,D1 位置处在畸形波发生砰击之后,随即发生了第二次较大的波浪砰击,其余几处没有发生该现象。这可能是由于畸形波在砰击之后,波浪面在其中间位置叠加,形成高度较高的水脊,并且由于平台纵摇和升沉运动,导致平台二次砰击,从而使 D1 处出现了第二次较大的波浪砰击现象。从图 7.7(a) 至(f) 中可以发现各处均会出现负压现象,但是在 D5 位置处的负压最大,为 40.3 kPa,在 D6 位置处的负压最小。这是由于波浪砰击立柱之后,绕流到立柱两端位置处,并很快向中间位置运动,加上自身的运动,使得 D5 位置处波浪下落,气压一时无法补充,因此造成的负压较大,而中间位置波面较高,不会出现较大的负压值。

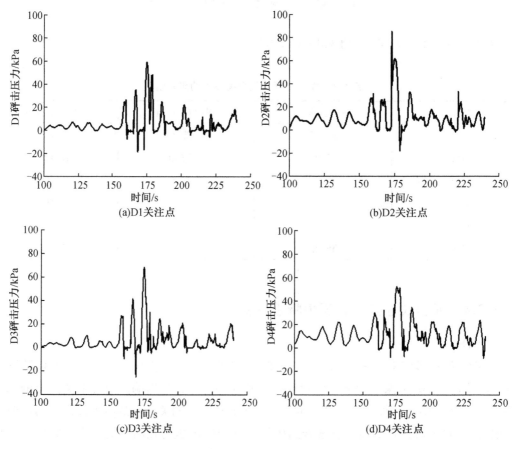

图 7.7　撑杆各关注点砰击压力历时曲线

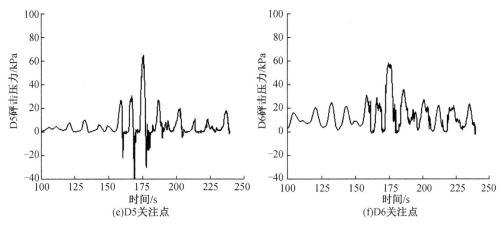

(e)D5关注点　　　　　　　　　　(f)D6关注点

图7.7（续）

2. 立柱

图7.8为半潜式平台立柱受到的畸形波砰击压力历时曲线。立柱上关注点的选择见7.2.3节。选取的H11～H16的6个关注点的波浪砰击压力时程曲线如图7.8所示，可以直观地发现立柱较低点处的砰击压力大。尤其是在最低点H11和H12处的波浪砰击的非线性特征更加明显，最大砰击压力为125 kPa，并且出现了明显的"双峰现象"，这可能是由于海洋平台的自由运动导致其第二次与波浪发生砰击现象，从而导致明显的"双峰现象"。立柱最上方的H16点，由于其物理位置太高，导致波浪不能砰击到该处，因此其砰击压力值非常小。将其与上节中砰击压力时程曲线做比较，可以看到立柱上的最大砰击压力和其非线性特征要明显大于撑杆受到的砰击压力。这是因为在立柱位置处，下浮箱挤压波浪，波浪上涌形成水脊，速度较大的水脊直射在立柱的位置较低处，形成非常大的砰击压力。

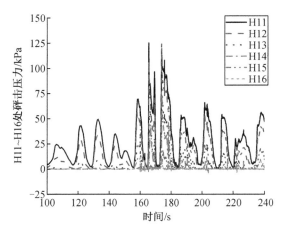

图7.8　半潜式平台立柱受到的畸形波砰击压力历时曲线

7.2.5　波浪水脊现象和瞬态砰击压力特性分析

为了更好地验证上述计算得到的物理现象,选择在该工况下的自由液面、撑杆及立柱的砰击压力分布云图,直观地看出这几处受到的砰击压力。从图7.9(a)中可以看出,波浪在立柱前端和撑杆中间部位叠加,形成了一个非常明显的水脊,相较于规则波形成的水脊,畸形波形成的水脊更加粗壮,形成的砰击压力更大。图7.9(b)中立柱表面的砰击压力云图上的压力变化,水脊现象发生的地方即立柱根部和下浮箱交界处受到较大的波浪砰击压力。从图7.10(a)中可以明显地看到波浪爬升到了平台下甲板位置处,图7.10(b)为立柱压力云图,此时立柱底部的波浪砰击压力明显小于发生水脊现象时的砰击压力。而在图7.11(a)中可以看到立柱上的波浪爬升开始下降,并且撑杆前段的波浪面中间位置形成波谷,撑杆两端继续保持高水位,与前文所述撑杆两端所受砰击压力较大的原因相吻合。如图7.11(b)所示,此时立柱上的波浪砰击压力开始逐渐减小。

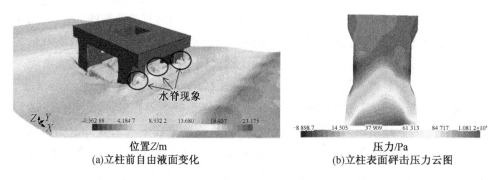

(a)立柱前自由液面变化　　　　　　　　(b)立柱表面砰击压力云图

图7.9　$T=174.2$ s 立柱前端自由液面及波浪砰击压力分布

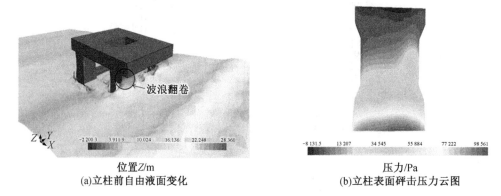

(a)立柱前自由液面变化　　　　　　　　(b)立柱表面砰击压力云图

图7.10　$T=175.72$ s 立柱前端自由液面及波浪砰击压力分布

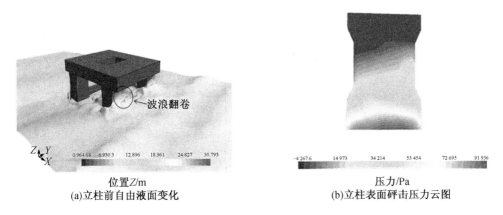

位置Z/m

(a)立柱前自由液面变化

压力/Pa

(b)立柱表面砰击压力云图

图7.11 $T=176.8$ s 立柱前端自由液面及波浪砰击压力分布

从图7.12中可以看到撑杆两端部分始终是受到砰击压力最大的位置,并且主要集中在两端的中上部位,立柱两端下侧的砰击压力要小于中上部位的砰击压力。这与规则波的波浪砰击时撑杆表面的压力分布规律是一致的。

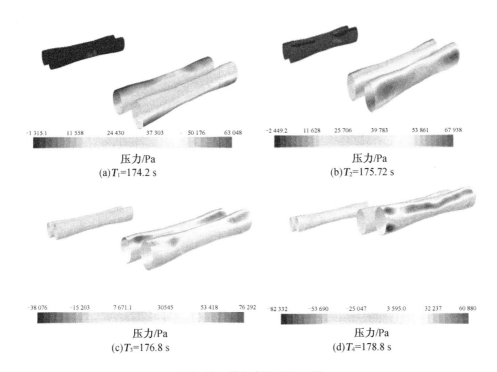

压力/Pa

(a)T_1=174.2 s

压力/Pa

(b)T_2=175.72 s

压力/Pa

(c)T_3=176.8 s

压力/Pa

(d)T_4=178.8 s

图7.12 撑杆表面压强云图

7.3 自存工况下平台砰击载荷预报分析

7.3.1 监测点布置

立柱是半潜式平台与波浪直接接触的部件,其首部的立柱面板直接受到波浪冲击,且其受力面积大。由第 7.2 节可知立柱前表面中间位置及下方位置比较容易受到砰击。因此在立柱中心位置处设立的监测点如图 7.13 所示,甲板箱底部设立的砰击压力监测点坐标值见表 7.3,其中 L8 与 R8 点位于浮箱与立柱交界处。

表 7.3 甲板箱底部设立的砰击压力监测点坐标值

点	X/m	Y/m	Z/m	点	X/m	Y/m	Z/m
L1	35.25	−30	10.05	R1	35.25	−24	10.05
L2	35.25	−30	13.05	R2	35.25	−24	13.05
L3	35.25	−30	16.05	R3	35.25	−24	16.05
L4	35.25	−30	19.05	R4	35.25	−24	19.05
L5	35.25	−30	22.05	R5	35.25	−24	22.05
L6	35.25	−30	25.05	R6	35.25	−24	25.05
L7	35.25	−30	28.05	R7	35.25	−24	28.05
L8	35.25	−30	29.55	R8	35.25	−24	29.55

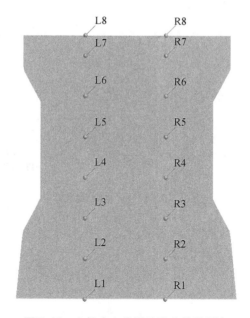

图 7.13 立柱中心位置处设立的监测点

7.3.2　砰击压强载荷特性

1. 浪向角为 0°时的砰击值

在自存工况吃水为 15.5 m、流速 1.07 m/s、风速 41.1 m/s 的环境条件下讨论立柱受到的砰击压强。L1 ～ L8 处的砰击压强历时曲线如图 7.14 所示,可以看出最大值出现在 L1 处。L1 处最大值为 137.2 kPa,L2 处最大值为 106.7 kPa。随着垂直高度的增加,L8 处的砰击压强曲线较为平缓,其原因是 L8 处 Z 值较大,距离波面较远,波浪对 L8 处几乎没有产生砰击现象。在畸形波产生的波峰及其相邻几个波峰中,产生波浪砰击的几处在第一次砰击发生后,间隔短暂时间后又产生了第二个峰值,即单个周期内产生了两次砰击。其原因是在较大的波高影响下半潜式平台发生幅度很大的垂荡和纵摇,导致在第一次砰击后发生波浪与结构的第二次碰撞,产生压强峰值。L1 处在 175 s 左右产生的非线性特征非常明显,因此可以看出畸形波在立柱和浮箱交界处产生波浪的翻卷、挤压、射流等现象,在平台设计阶段应给予充分考虑。

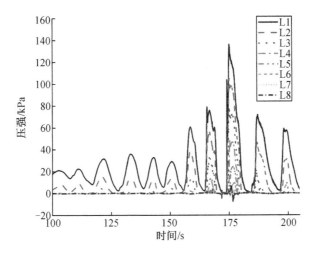

图 7.14　L1 ～ L8 处的砰击压强历时曲线

如图 7.15、图 7.16 所示,分析 D 列与 LZ 列测点砰击值时间历程曲线,发现 D2、D3 处和 LZ2、LZ3、LZ4 处发生了较为明显的砰击现象,其中 LZ2、LZ3 处最大值为 33.3 kPa、85.3 kPa,较 D2、D3 点增加了 120.4% 和 92.1%,说明下游甲板发生的波浪砰击远远大于上游甲板。

2. 浪向角为 90°时的砰击值

当波浪入射角为 90°时,上游立柱测点处 A1 ～ A6 与下游立柱测点处 B1 ～ B6 所受波浪砰击如图 7.17 所示,可以看出上游立柱所受压强分布较为平缓,而下游立柱压强随时间分布更为陡峭,其原因是当波浪为横浪时上游立柱位于平台侧面,顶部没有甲板遮蔽,而下游立柱除了波浪干涉,也有立柱与甲板之间的遮蔽效应,波浪砰击非线性特征更为明显。砰击极值随着垂直高度的增加呈现减小的趋势,A1、A2、A3 处最大值为 71.7 kPa、51.7 kPa、33.7 kPa,B1、B2、B3 处最大值为 66.4 kPa、61.9 kPa、40.11 kPa,上游侧与下游侧同位置处砰击值相比有 7.3%、－19.8%、－18.9% 的变化,除了 A1 处略小之外,下游立柱所受砰击值略大于上游立柱。

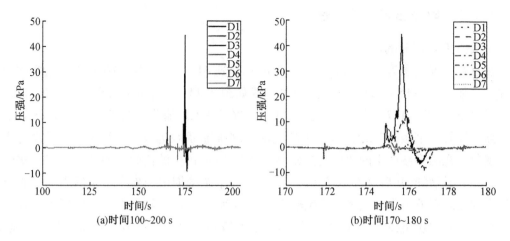

图 7.15　上游立柱 D1 ~ D7 处监测点压强历时曲线

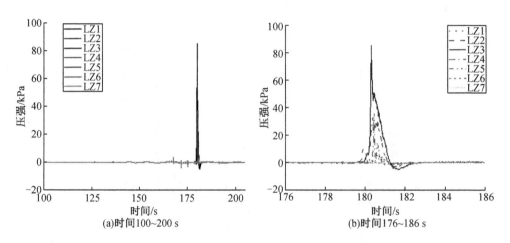

图 7.16　下游立柱 LZ1 ~ LZ7 处监测点压强历时曲线

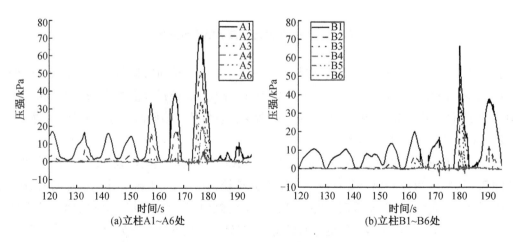

图 7.17　立柱 A1 ~ A6 与 B1 ~ B6 处监测点压强历时曲线

7.3.3　砰击压强分布特性

1. 立柱压强分布

为了更加直观地分析了解波浪砰击压强在立柱及甲板上的分布特性,为自存工况下半潜式平台的设计提供参考,我们选择 0°波浪入射角下 $t = 174.565 \sim 184.94$ s 波浪砰击的压力分布云图。结合图 7.18 中的 8 张压力云图可以看出,T_1 时刻压力分布集中在立柱底部中间位置处,波浪在此处发生了叠加,且中心位置更为明显。T_2 时刻压力分布在立柱表面,较 T_1 时刻区域有所扩大且高度上升。T_3 时刻压力分布随高度上升逐渐减小,可以看出产生了爬浪现象,此时波浪淹没至立柱较高位置处,立柱顶端也产生了一定的压强。T_4 时刻波浪退去造成压力区域下降。T_5 时刻至 T_6 时刻在立柱表面形成一处较为明显的压力区域,随后在 T_7 和 T_8 时刻砰击至立柱表面的波浪破碎并在表面分离,高压力区域面积扩大为两处,接着压力逐渐减小。由此可知波浪砰击主要发生在立柱的底部与浮箱交界位置处,且随着波浪的传递会产生局部较大的砰击压力。

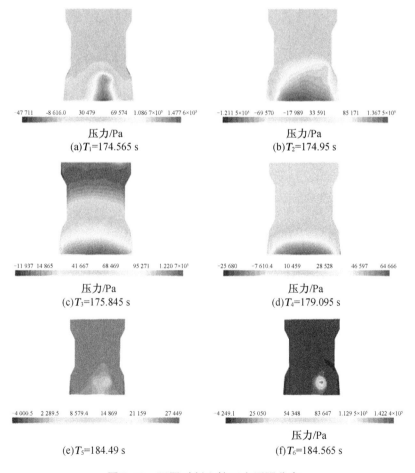

图 7.18　不同时刻立柱砰击压强分布

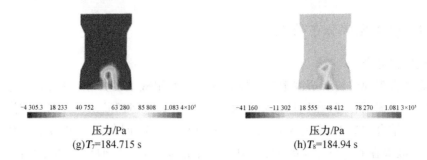

压力/Pa
(g)T_7=184.715 s

压力/Pa
(h)T_8=184.94 s

图7.18(续)

2.甲板压强分布

图7.19为甲板在0°浪向角时砰击压强分布。可以看出T_1时刻砰击压强首先出现在上游立柱与甲板交界处,在T_2时刻随着水质点的脱落产生了负压。经过约4 s的传播,T_3时刻波浪抵达下游立柱与甲板交界处,产生关于Y轴对称的两处砰击压力较大区域。T_4时刻在下游甲板中线位置突然出现一块压力较大区域,其原因可能是T_3时刻产生的甲板射流汇集到此处产生了较强的砰击。在T_5和T_6时刻压力较大的区域扩散至靠近立柱一侧。

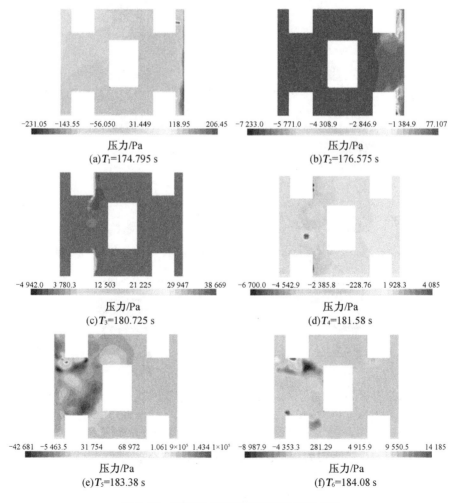

压力/Pa
(a)T_1=174.795 s

压力/Pa
(b)T_2=176.575 s

压力/Pa
(c)T_3=180.725 s

压力/Pa
(d)T_4=181.58 s

压力/Pa
(e)T_5=183.38 s

压力/Pa
(f)T_6=184.08 s

图7.19　甲板在0°浪向角时砰击压强分布

3. 自由液面变化

图7.20为畸形波下不同时刻自由液面变化情况。在T_1时刻波浪与平台上游侧甲板碰撞发生了爬浪现象,上升至立柱顶端时与甲板箱底部发生挤压,波浪出现翻卷、破碎等非线性特征。T_2时刻波浪与结构发生碰撞后下落,在甲板箱上方有明显的波浪涌起的现象。T_3时刻波浪传播到下游立柱,同样发生了爬升并与底部甲板发生砰击,出现了负气隙现象。自由液面的变化与甲板砰击压强分布情况相互验证,证实了其准确性。

位置Z/m
(a)T_1=175.795 s

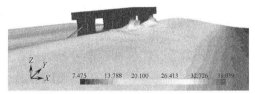
位置Z/m
(b)T_2=177.825 s

位置Z/m
(c)T_3=180.615 s

图7.20 畸形波下不同时刻自由液面变化情况

7.4 本 章 小 结

该章运用Longuet-Higgins模型,同时应用线性叠加法对多个不同初相位和不同圆频率的波浪进行线性叠加,并通过调节组成波的随机初相位以形成畸形波。为了更加符合实测畸形波的波形,在波浪叠加公式后面添加了波高修正项。

运用CFD方法研究了畸形波对半潜式平台撑杆的波浪砰击,对畸形波数值水池进行了模拟,并研究了畸形波对运动平台所造成的波浪砰击。着重分析了其平台不同部位受到畸形波砰击压力的影响规律,这为半潜式海洋平台的结构设计提供了理论支持。对于半潜式平台在拖航工况下撑杆受到畸形波的砰击压力方面,得到了以下结论。

(1)海洋平台在拖航过程中,撑杆受到的畸形波砰击在其前边的波浪叠加效应更加明显,叠加后的波浪更加"粗壮",从而造成对撑杆更大的波浪砰击压力。

(2)对于撑杆结构来说,畸形波产生的砰击压力数值非常大,并且在立柱中间位置处会出现较为显著的"双峰现象"。由于畸形波发生时平台运动更加剧烈,波浪非线性度更大,因此撑杆各个点位置处均会出现负压现象,并且数值维持在较高水平。但是靠近下浮体位置处确实是受到负压影响最小的区域。

(3)畸形波对立柱所产生的砰击压力是沿着立柱的高度而逐渐减小的,并且立柱前的波浪叠加导致的立柱最低位置处的波浪砰击压力非常大。其数值达到了同一工况下撑杆表面受到的砰击压力的1.7~2倍。

通过线性叠加的方法在数值水池中将20个不同波高和周期的波进行组合生成畸形波,多次尝试总结出一套适用于该半潜式平台及其锚泊系统的网格设置方法。在计算域与动网格的基础尺寸保持一致的前提下,对自由液面进行了加密,以获得更精确的波面模拟结果。模拟了平台立柱及甲板所受畸形波的砰击情况,并得出以下结论。

(1)D2、D3处和LZ2、LZ3、LZ4处发生了较为明显的波浪砰击即负气隙现象,这几处均位于立柱顶端的甲板处,而远离立柱的甲板位置气隙值大于0。

(2)在畸形波产生的波峰及其相邻几个波峰中,产生波浪砰击的几个点在第一次砰击发生后,间隔短暂时间后又产生了第二个峰值,即单个周期内产生了两次砰击。

(3)0°浪向角时下游甲板发生的波浪砰击远远大于上游甲板。畸形波在立柱和浮箱交界处产生波浪的翻卷、挤压、射流等现象,在平台设计阶段应给予充分考虑。

第8章 砰击压力试验

8.1 相似准则

船舶与海洋结构物的模型非常复杂多样。为了保证模型与实体严格符合几何相似,需要在模型的制作和模拟过程中,完全按照统一的模型缩尺比,对所有的尺度参数、波浪条件和外形尺寸进行换算。在模型试验过程中,为确保模型能反映实体的物理特性及水动力性能,必须遵循以下几种相似准则。

(1)几何相似。几何相似可认为是形状相似,即实体与模型的外形相同,并且它们之间的线尺度之比为常数,即

$$L_s/L_m = B_s/B_m = d_s/d_m = \lambda \tag{8.1}$$

式中 L、B、d——结构长度、宽度与吃水;

    m、s——模型和实体;

    λ——相似比。

(2)重力相似与惯性相似。这意味着计算浮式平台运动响应时可以忽略水的黏性,保持模型与实体的弗劳德数和斯特劳哈尔数相等,即

$$\frac{V_m}{\sqrt{gL_m}} = \frac{V_s}{\sqrt{gL_s}} \qquad \frac{V_m T_m}{L_m} = \frac{V_s T_s}{L_s} \tag{8.2}$$

式中 V——运动速度;

    L——线性尺度;

    T——波浪周期。

模型试验在水池中进行时,波浪参数包括水深、波高、波长、周期等也须满足相似准则。同时由于试验在淡水中进行,而浮式平台工作区域在海水,因此需对水密度进行修正,取 γ 值为海水与淡水密度比 1.025。

根据以上相似法则,模型与实体之间的相似比关系见表 8.1。

表 8.1 模型与实体物理量缩尺关系

项目	符号	缩尺比
线尺度	L_s/L_m	λ
面积	A_s/A_m	λ^2
体积	∇_s/∇_m	λ^3

表8.1(续)

项目	符号	缩尺比
线速度	V_s/V_m	$\lambda^{1/2}$
线加速度	a_s/a_m	1
周期	T_s/T_m	$\lambda^{1/2}$
频率	f_s/f_m	$\lambda^{-1/2}$
水的密度	ρ_s/ρ_m	γ
质量(排水量)	Δ_s/Δ_m	$\gamma\lambda^3$
力	F_s/F_m	$\gamma\lambda^3$
力矩	M_s/M_m	$\gamma\lambda^4$

8.1.1　试验场地和模型

模型试验在江苏科技大学风浪流综合水池进行,水池长 38 m,宽 15 m,最大有效水深 1 m。根据水池的有效段尺度和造波能力、平台原型尺寸和波浪设计条件,本次试验选用1:100 的模型缩尺比,三维模型及参考坐标系示意图如图 8.1 所示,坐标原点位置处于整体结构的形心处。本次试验选定其工作状态为自存工况。由于试验过程需保证吃水和排水量等需按缩尺比进行缩放,所以需要配一定的压载来调节模型吃水。表 8.2 为平台主要参数的实际值和模型值。

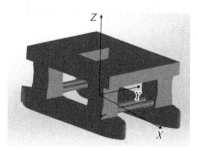

(a)平台三维模型

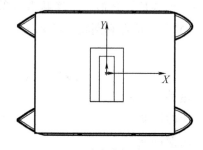

(b)参考坐标系

图8.1　平台三维模型及参考坐标系示意图

表8.2　平台参数实际值与模型值

参数	实际值	理论模型值 1:100	单位
浮体长	104.50	1.045 0	m
宽度	70.50	0.705 0	m
浮体宽	3.90	0.039 0	m
浮体高	10.05	0.100 5	m
立柱截面积	238.00	2.380 0	m²

表 8.2(续)

参数	实际值	理论模型值 1∶100	单位
立柱中心间距	54.00	0.540 0	m
浮箱中心间距	37.50	0.375 0	m
纵向立柱间距	55.00	0.550 0	m
主甲板高度	37.55	0.375 5	m
双层底高度	29.55	0.295 5	m
工作吃水/排水量	15.5/38 400	0.155/384	m/t
拖航吃水/排水量	9.5/30 800	0.095/308	m/t

8.1.2 系泊系统

本次模型试验采用 8 根系泊缆对称布置张紧式系泊系统,分析半潜式平台运动响应及平台立柱与甲板在不同波浪条件下的砰击情况。

张紧式系泊,即在平台静平衡阶段系泊缆已具备一定的预张力。系泊缆主要材料选择为高密度聚乙烯,在缆绳末端分别与平台导缆孔及水底锚点接触位置采用一小段的锚链,其原因是平台受风、浪、流的作用下,会产生较大幅度的运动,系泊缆不可避免地会与平台自身结构及海底产生摩擦。为了延长缆绳使用寿命,确保平台安全,因此采用两种材料结合的三段式设计方法。

表 8.3 为张紧式系泊系统的系泊缆参数。在模型试验中,采用的聚乙烯缆绳很难保证其刚度等特性与平台实体所采用的参数完全依据缩尺比进行缩放,因此我们假设 1∶100 缩尺比下的缆绳刚度无限大,通过在缆绳末端增加一段经过计算的弹簧来模拟整体系泊系统的刚度。

表 8.3 张紧式系泊系统的系泊缆参数

类型	直径 /mm	湿重 /(kg/m)	干重 /(kg/m)	轴向刚度 /N	破断强度 /N	聚乙烯长度 /m	锚链长度 /m
实体	114	7	0.3	2.57×10^8	7.35×10^6	200	2×13
模型	1.14	6.83×10^{-4}	2.93×10^{-5}	250.73	7.17	2	2×0.13

平台实体布锚半径 200 m,工作水深 100 m,对应模型试验中布锚半径 2 m,工作水深 1 m。试验中所用聚乙烯缆绳和锚链如图 8.2 所示。

由于在模型试验中造波机的位置固定,因此通过改变锚点坐标的方式来改变平台与波浪的夹角,本次试验中设定 0°、45°、90° 三种浪向角,即在 0° 基础上将平台顺时针旋转 45° 和 90°。0° 浪向角下布锚方式如图 8.3 所示,不同浪向角下锚点坐标见表 8.4 至表 8.6。

图 8.2 聚乙烯缆绳和锚链

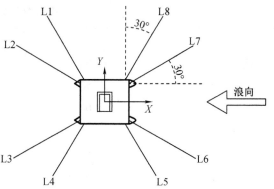

图 8.3 0°浪向角下布锚方式示意图

表 8.4 0°张紧式锚点坐标

锚点	X/cm	Y/cm	Z/cm
L1 – 1	– 127. 50	207. 96	– 100. 00
L1 – 2	– 208. 46	127. 00	– 100. 00
L1 – 3	– 208. 46	– 127. 00	– 100. 00
L1 – 4	– 127. 50	– 207. 96	– 100. 00
L1 – 5	127. 50	– 207. 96	– 100. 00
L1 – 6	208. 46	– 127. 00	– 100. 00
L1 – 7	208. 46	127. 00	– 100. 00
L1 – 8	127. 50	207. 96	– 100. 00

表 8.5 45°张紧式锚点坐标

锚点	X/cm	Y/cm	Z/cm
L2 – 1	56. 89	237. 20	– 100. 00
L2 – 2	– 57. 60	237. 20	– 100. 00
L2 – 3	– 237. 20	57. 60	– 100. 00
L2 – 4	– 237. 20	– 56. 89	– 100. 00
L2 – 5	– 56. 89	– 237. 20	– 100. 00
L2 – 6	57. 60	– 237. 20	– 100. 00
L2 – 7	237. 20	– 57. 60	– 100. 00
L2 – 8	237. 20	56. 89	– 100. 00

表 8.6 90°张紧式锚点坐标

锚点	X/cm	Y/cm	Z/cm
L3 – 1	207. 96	127. 50	– 100. 00
L3 – 2	127. 00	208. 46	– 100. 00

表 8.6(续)

锚点	X/cm	Y/cm	Z/cm
L3－3	－127.00	208.46	－100.00
L3－4	－207.96	127.50	－100.00
L3－5	－207.96	－127.50	－100.00
L3－6	－127.00	－208.46	－100.00
L3－7	127.00	－208.46	－100.00
L3－8	207.96	－127.50	－100.00

8.1.3　试验工况

试验工况见表 8.7,共 36 个规则波工况。模型试验中,选定波高 $H = 0.15$ m,通过改变波浪周期为 0.9 s、1.0 s、1.1 s、1.2 s 和 1.3 s,来研究周期对于立柱及甲板所受波浪砰击的影响。选定波浪周期 $T = 1.2$ s,通过改变波高为 0.10 m、0.15 m、0.20 m、0.25 m,来研究波高 H 对波浪砰击的影响。通过改变波浪入射角 0°、45°、90° 来研究不同入射角下波浪砰击分布规律。

表 8.7　规则波试验工况

试验序号	H/m	T/s	KA	$B/(°)$
A1				0
A2	0.10	0.9	0.25	45
A3				90
A4				0
A5	0.10	1.0	0.20	45
A6				90
A7				0
A8	0.10	1.1	0.17	45
A9				90
A10				0
A11	0.10	1.2	0.14	45
A12				90
A13				0
A14	0.15	0.9	0.37	45
A15				90

表 8.7（续）

试验序号	H/m	T/s	KA	$B/(°)$
A16				0
A17	0.15	1.0	0.30	45
A18				90
A19				0
A20	0.15	1.1	0.25	45
A21				90
A22				0
A23	0.15	1.2	0.21	45
A24				90
A25				0
A26	0.15	1.3	0.18	45
A27				90
A28				0
A29	0.20	1.1	0.33	45
A30				90
A31				0
A32	0.20	1.2	0.28	45
A33				90
A34				0
A35	0.25	1.2	0.35	45
A36				90

8.1.4 监测点选择

由于在模型上安装砰击压力传感器需要在结构上开较大的孔,模型尺寸为 1:100,因此其线尺度比较小,开孔数量过多会导致模型密封和质量、重心等出现问题,并且也不够美观。因此由于传感器安装数量限制,综合考虑选取 K1～K8 8 个监测点,测量波浪对平台结构产生的砰击压强。

表 8.8 为模型试验中砰击压强监测点坐标,其坐标值均已按缩尺比换算,其中 K1～K3 位于前立柱迎浪面中线位置,且 K1、K2、K3 点沿着垂直方向由低到高依次布置。K4～K6 位于甲板底部,纵向来看位于前立柱迎浪面的前方,且 K4、K5、K6 沿着甲板箱 Y 轴布置,K5 位于甲板箱底部中线上。K7～K8 位于甲板箱前端。具体位置如图 8.4 所示。

表 8.8　模型试验中砰击压强监测点坐标

测点	X/m	Y/m	Z/m
K1	0.352 50	$-0.270\ 0$	0.135 5
K2	0.352 50	$-0.270\ 0$	0.195 5
K3	0.352 50	$-0.270\ 0$	0.260 5
K4	0.378 75	$-0.267\ 5$	0.295 5
K5	0.378 75	0	0.295 5
K6	0.378 75	0.275 5	0.295 5
K7	0.408 75	$-0.020\ 0$	0.312 5
K8	0.408 75	$-0.020\ 0$	0.335 5

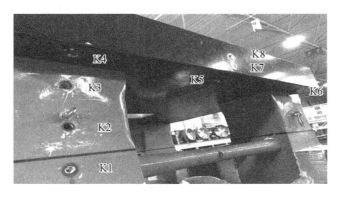

图 8.4　监测点位置示意图

8.2　半潜式平台立柱及甲板砰击压力
试验结果与分析

8.2.1　自由衰减试验

在平台静止漂浮状态下,通过外力施加一定的力矩,再放开后让其自由振荡,通过六自由度测量仪器对平台的纵摇、横摇和垂荡运动进行测量,可得出模型在此吃水条件下的固有周期等参数。

静平衡状态下平台的双浮体没有露出水面,而在大风浪工况下,由于平台自身运动幅度较大,浮箱端部和撑杆会偶尔露出水面,因而会改变水线面面积和纵摇的回复力,从而影响到纵摇、横摇和垂荡等响应的固有频率,这将对平台的固有周期造成很大的影响。因此保证数值模型和试验模型固有周期的一致性很有必要。

本次衰减试验,给平台施加的初始倾斜角度为 5°,每一自由度进行 5 次测量取其平均值以减小误差。试验结果与数值结果如图 8.5 至图 8.6 和表 8.9 所示,可以看出静水中平台模型的固有周期与数值模拟较为接近且相差5%以内,说明数值模拟与平台模型的固有周期十分接近,验证了数值模拟中网格尺寸与计算方法的准确性,为分析平台的运动、波浪砰击分布规律打下了良好的基础。

表8.9　平台固有周期

自由度	模型周期/s	数值模拟周期/s
垂荡	21.7	21.2
横摇	34.7	34.5
纵摇	30.3	30.1

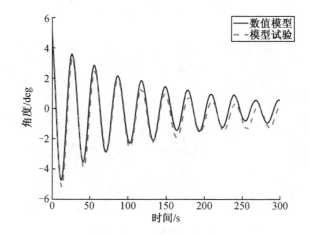

图8.5　平台倾斜5°下的纵摇衰减试验与数值模拟对比

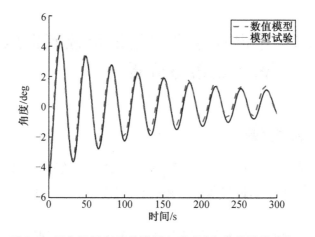

图8.6　平台倾斜5°下的横摇衰减试验与数值模拟对比

8.2.2　六自由度运动

对0°波浪入射角、周期1.2 s、波高0.1~0.25 m规则波下8点对称张紧式系泊半潜式平台运动响应进行分析,结果见表8.10。可以看出随着波高的增加,平台纵荡、垂荡、纵摇响应均明显增大,而横荡、横摇、艏摇并无明显变化规律且保持在较小的幅值。

表 8.10 不同波高下平台运动响应

运动	单位	A10	A22	A31	A34
纵荡	mm	34.00	52.48	62.51	73.70
横荡	mm	7.88	9.80	5.83	9.46
垂荡	mm	76.27	113.50	125.21	138.38
纵摇	(°)	6.15	9.78	11.00	12.55
横摇	(°)	0.84	1.28	0.98	1.27
艏摇	(°)	0.29	0.52	0.42	0.77

对 0°波浪入射角、波高 0.15 m、周期 0.9～1.3 s 规则波下 8 点对称张紧式系泊半潜式平台运动响应进行分析,结果见表 8.11。随着周期的增大,平台纵荡、横荡、垂荡、纵摇响应均明显增大,且最大值分别是最小值的 2.21 倍、1.94 倍、4.05 倍、2.58 倍,可以看出垂荡的变化率最大。而横摇、艏摇无明显变化且保持在较小的幅值。

表 8.11 不同周期下平台运动响应

运动	单位	A13	A16	A19	A22	A25
纵荡	mm	27.01	40.94	49.57	52.48	59.67
横荡	mm	8.56	3.69	7.61	9.80	16.60
垂荡	mm	33.74	56.20	87.86	113.50	136.79
纵摇	(°)	4.57	6.12	8.49	9.78	11.81
横摇	(°)	1.17	0.77	0.79	1.28	1.88
艏摇	(°)	0.86	0.61	0.36	0.52	0.30

对波高 0.15 m,周期 0.9 s,波浪入射角 0°、45°、90°的规则波作用下 8 点对称张紧式系泊半潜式平台运动响应进行分析,见表 8.12。0°迎浪时平台纵荡和纵摇响应最大,90°横浪时横荡和横摇响应最大。

表 8.12 不同浪向角下平台运动响应

运动	单位	A13	A14	A15
纵荡	mm	27.01	15.80	4.73
横荡	mm	8.56	12.55	26.38
垂荡	mm	33.74	28.95	20.15
纵摇	(°)	4.57	3.83	1.20
横摇	(°)	1.17	1.72	6.82
艏摇	(°)	0.86	0.88	0.45

8.2.3 砰击压强对比

为了验证 CFD 方法中有限元模型的准确性、分析方法的可行性,本小节选取几个典型工况,对比数值模拟和模型试验中同一测点测得的压强值随时间分布曲线,分析砰击发生周期、最大值、压强升降趋势等。

对比 $H = 20$ m、$T = 11$ s、$\beta = 0°$ 的波浪参数下 K1 点的数值模拟和试验结果,如图 8.7 所示,从较为稳定的 3 个周期中可以看出以下内容。

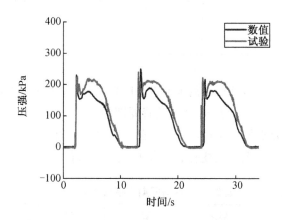

图8.7 工况 A28 下 K1 点数值与试验砰击压强对比

(1)数值结果与试验结果发生砰击现象的周期吻合良好,均为 11 s 左右,与波浪周期接近。

(2)K1 点所受砰击压强的发生趋势表现为首先剧烈而陡峭地上升达到最大值,随之小幅度地下降,接着出现第二个峰值,表现为相对缓慢地增大和减小。数值模拟与实验结果在砰击压强发生趋势上保持一致。

(3)3 个砰击周期中,数值模拟最大值分别为 230.9 kPa、250.18 kPa、223.04 kPa,实验最大值为 227.76 kPa,240.54 kPa,218.13 kPa。两者分别相差 1.3%、3.9%、2.2%,在误差允许范围内。

对比 $H = 20$ m、$T = 12$ s、$\beta = 0°$ 的波浪参数下 K1 点的数值模拟和试验结果,从较为稳定的 4 个周期中可以看出如下内容。

(1)数值结果与试验结果发生砰击现象的周期吻合良好,均为 12 s 左右,与波浪周期接近。

(2)K1 点所受砰击压强的发生趋势表现为首先剧烈而陡峭地上升达到第一个峰值,后有短暂的下降和“顿挫”,持续 0.4~0.8 s,接着上升达到最大值,表现为相对缓慢地增大和减小,且第二个峰值大于第一个峰值。数值模拟与实验结果在砰击压强发生趋势上保持一致。

(3)4 个砰击周期中,数值模拟最大值分别为 160.76 kPa、167.48 kPa、167.48 kPa、163.00 kPa,实验最大值为 138.00 kPa、133.18 kPa、146.52 kPa、143.49 kPa。两者分别相差 14.2%、18.4%、12.5%、11.9%,在误差允许范围内。

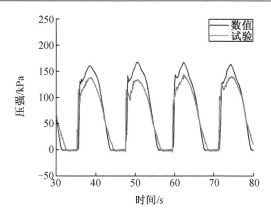

图 8.8　工况 A31 下 K1 点数值与试验砰击压强对比

对比 $H = 20$ m、$T = 12$ s、$\beta = 0°$ 的波浪参数下 K2 点的数值模拟和试验结果,如图 8.9 所示。从较为稳定的 3 个周期中可以看出如下内容。

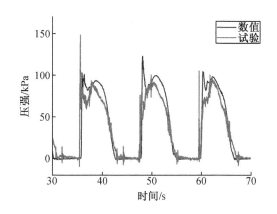

图 8.9　工况 A31 下 K2 点数值与试验砰击压强对比

(1)数值结果与试验结果发生砰击现象的周期吻合良好,均为 12 s 左右,与波浪周期接近。

(2)K2 点所受砰击压强的发生趋势表现为首先剧烈而陡峭地上升达到第一个峰值,后快速下降,接着发生第二个砰击峰值,表现为相对缓慢地增大和减小,且第二个峰值小于第一个峰值。数值模拟与实验结果在砰击压强发生趋势上保持一致。

(3)3 个砰击周期中,数值模拟最大值分别为 146.94 kPa、100.60 kPa、105.34 kPa,实验最大值为 103.10 kPa、122.96 kPa、104.56 kPa,两者分别相差 30%、18.62%、0.74%。可以看出第一个周期中,误差达到 30%。观察图像可以看出实验结果有较强的非线性特征,在 35.61 s 处产生了压强值的突变。除此点外整体变化趋势吻合较为良好。考虑到试验中偶发因素较多,因此可以认为一个点的较大误差在可接受范围内。

对比 $H = 15$ m、$T = 9$ s、$\beta = 0°$ 的波浪参数下 K1 点的数值模拟和试验结果,如图 8.10 所示。从较为稳定的 3 个周期中可以看出如下内容。

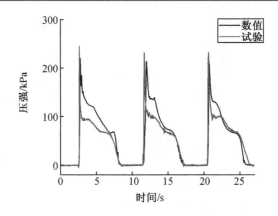

图 8.10 工况 A13 下 K1 点数值与试验砰击压强对比

（1）数值结果与试验结果发生砰击现象的周期吻合良好，均为 9 s 左右，与波浪周期接近。

（2）K1 点所受砰击压强的发生趋势表现为首先剧烈而陡峭地上升达到最大，后快速下降 0.4～0.5 s，随之缓慢下降。数值模拟与实验结果在砰击压强发生趋势上保持一致。

（3）3 个砰击周期中，数值模拟最大值分别为 245.52 kPa、231.74 kPa、232.47 kPa，实验最大值为 220.50 kPa、213.85 kPa、210.09 kPa，两者分别相差 10.4%、7.7%、9.7%。砰击压强整体变化趋势较为一致。

如图 8.11 所示，从较为稳定的 3 个周期中可以看出如下内容。

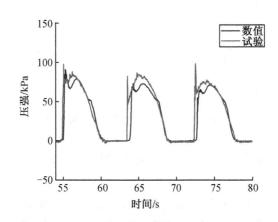

图 8.11 工况 A14 下 K1 点数值与试验砰击压强对比

（1）数值结果与试验结果发生砰击现象的周期吻合良好，均为 9 s 左右，与波浪周期接近。

（2）K1 点所受砰击压强的发生趋势表现为首先剧烈而陡峭地上升达到最大，后快速下降 0.2～0.3 s，随之缓慢下降。数值模拟与实验结果在砰击压强发生趋势上保持一致。

（3）3 个砰击周期中，数值模拟最大值分别为 97.67 kPa、86.71 kPa、98.33 kPa，实验最大值为 90.29 kPa、72.97 kPa、71.017 kPa，两者分别相差 7.6%、15.8%、27.8%。可以看出第三个周期中，数值与试验结果最大值相差 27.8%。观察图像可以看出试验结果有较强的非线性特征，在 72.51 s 处产生了压强值的突变。除此点外整体变化趋势吻合较为良好。考虑到试验中偶发因素较多，因此可以认为局部的非线性突变在可接受误差范围内。

图 8.12 至图 8.14 为同一参数规则波、不同入射角下模型试验过程中波浪与平台产生的砰击现象,可以看出如下内容。

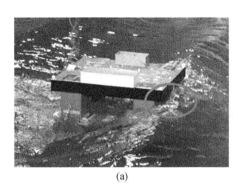

(a)　　　　　　　　　　　　　　　　　　(b)

图 8.12　入射角为 0°时波浪砰击现象

(a)　　　　　　　　　　　　　　　　　　(b)

图 8.13　入射角为 45°时波浪砰击现象

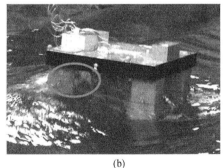

(a)　　　　　　　　　　　　　　　　　　(b)

图 8.14　入射角为 90°时波浪砰击现象

(1)波浪入射角为 0°时前立柱迎浪面与甲板前端发生了较强的波浪砰击,后立柱迎浪面与甲板交界处砰击现象尤为明显,伴随着波浪的溅射和翻卷。

(2)波浪入射角为 45°时,波浪在前立柱迎浪面处发生爬升,但相比其他浪向砰击现象不明显,在后立柱迎浪面与甲板相接处有砰击发生,非线性特征明显。

(3)波浪入射角为 90°时,前立柱迎浪面在波面抬升时出现一块波浪的"隆起",这也与数值模拟中的现象类似,后立柱迎浪面与甲板交界处发生很强的砰击现象。

8.3　拖航工况下半潜式平台撑杆砰击试验设备和试验方案

8.3.1　试验场地

半潜式平台撑杆砰击压力敏感性试验完成于江苏科技大学拖曳试验水池。拖曳水池和半潜式平台试验模型如图 8.15 所示,拖曳水池整体长、宽、高分别为 100 m、6 m、2.5 m,通常情况下将水深设置为 2 m。拖曳水池拖车最高速度 $V=6$ m/s,最低速度 $V=0.01$ m/s。造波机的工作频率是 0.2~2.0 Hz。

图 8.15　拖曳水池和半潜式平台试验模型

8.3.2　试验设备的安装

本次试验中,半潜式海洋平台撑杆的砰击压力经由压力传感器输出,压力传感器的安装孔如图 8.16 所示。压力传感器最终布置安排如图 8.17 所示。

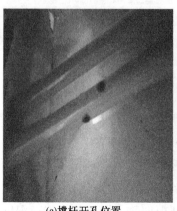

(a)撑杆开孔位置　　　　　　　(b)立杆开孔位置

图 8.16　半潜式平台模型砰击压力传感器安装位置

图 8.17　半潜式平台压力传感器最终布置安排

　　进行拖曳试验之前,必须先对试验水池所造的波浪用浪高仪进行测量,以便达到试验要求。浪高仪的调试如图 8.18 所示。浪高仪的标定需要分 5 次,得到一条正比例函数曲线。浪高仪标定完成之后,需要将标定好的浪高仪安装在海洋平台前面 3 m 处位置,用来测定拖航过程中海洋平台前部浪高的变化。

图 8.18　浪高仪的调试

　　在进行浪高仪校正的时候,选择量筒作为盛水的容器,并需要有足够的水深以便浪高仪可以上下移动,见表 8.13。首先将量筒装满水之后水平放置,读出此时浪高仪上的刻度值,并将与其连接的浪高仪的示波器调 0。之后将浪高仪多次上下移动,每次都要将浪高仪的高度记录下来,同时还需读出示波器上的读数。最后进行数据保存,保存成 CSV 或者可由 ANALYSE 处理的形式。

表 8.13　浪高仪的标定数据

序号	浪高仪高度/mm	示波器读数/mm
A1	0	15
A2	50	20
A3	100	25

表 8.13(续)

序号	浪高仪高度/mm	示波器读数/mm
A4	150	30
A5	200	35

8.3.3 试验方案和试验工况

在进行拖航试验时,首先要对造波机中波浪的参数进行设定,如波高和波长等,如图 8.19 所示。在正式开始拖航试验之前,保持海洋平台和拖车不动,一般先对所造波浪进行一次预造波。这样做是为了让工作机器找到稳定造波高度和频率,验证之前所造波浪的准确性,并保证所造波浪的波高的准确度。第一次预造波结束后,等待波面稳定后,接着进行第二次造波。造波机正常开始工作后,由于在拖曳水池中设定的拖曳距离为 10 m,波浪到达拖车和模型需要一定的时间。因此在波浪到达模型位置之后,拖车启动。在规定海况下,进行拖航。同时,各类传感器开始测量。

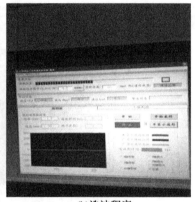

(a)控制设备   (b)造波程序

图 8.19　造波控制设备

选取部分不同波陡工况下的波浪参数见表 8.14。选定波高 $H = 20$ m,通过改变不同的波浪周期来研究波陡参数对撑杆及立柱等结构造成的砰击压力敏感性。不同流速工况下的波浪参数见表 8.15。通过选定波高和周期、改变流速的大小来研究砰击压力随流速变化的敏感性。

表 8.14　不同波陡参数表

参数	实际波高 (模型波高)H/m	实际周期 (模型周期)T/s	实际航速 (模型航速)V/(m/s)
A1	10(0.1)	13.24(1.32)	2(0.2)
A2	10(0.1)	14.09(1.41)	2(0.2)

表 8.14（续）

参数	实际波高 （模型波高）H/m	实际周期 （模型周期）T/s	实际航速 （模型航速）V/（m/s）
A3	10（0.1）	17.62（1.76）	2（0.2）
A4	10（0.1）	20.33（2.03）	2（0.2）
A5	10（0.1）	21.54（2.15）	2（0.2）
A6	10（0.1）	21.87（2.19）	2（0.2）

表 8.15　不同拖航速度表

参数	实际波高 （模型波高）H/m	实际周期 （模型周期）T/s	实际航速 （模型航速）V/（m/s）
A1	14（0.14）	13（1.3）	0.5（0.2）
A2	14（0.14）	13（1.3）	1.0（0.2）
A3	14（0.14）	13（1.3）	1.5（0.2）
A4	14（0.14）	13（1.3）	2.5（0.2）

8.4　拖航工况下半潜式平台撑杆砰击试验结果与分析

8.4.1　不同波陡参数下的砰击压力结果及分析

经研究发现,并不是波高越大的波浪就会对海洋平台产生更大的砰击压力。相反,波高一定,周期较小的波浪反而会对平台产生更大的砰击压力。因此找到引发波浪砰击的最敏感的波陡参数,这对拖航过程中规避危险海况具有十分重要的意义。根据波浪中半潜式海洋平台模型试验大纲的相关要求,对典型四立柱式半潜式海洋平台进行拖航试验,求得撑杆和立柱位置上的波浪砰击压力。实际拖航状态如图 8.20 所示。图 8.21 为半潜式平台拖航试验关注点。

该工况下拖航试验结束后,由于 P1、P2 和 P5 处受到的波浪砰击较为明显,因此在本小节中只对 3 个关注点进行讨论。图 8.22 为半潜式平台在波高 $H = 10$ m、航速 $V = 2$ m/s 的工况下受到的波浪砰击压力时程曲线。从图中我们可以发现,波陡 KA 的变化对砰击压力的影响是非常显著的。图 8.22（a）显示大波陡呈现出了强非线性特征,造成的波浪砰击压力是小波陡的 5~6 倍,这个差值非常大。波陡为 0.09 以下的波浪工况,撑杆几乎不会受到砰击,砰击压力在很小范围内上下波动。并且由于波浪周期的差距,波浪砰击压力也会呈现出一定的相位差。图 8.22（b）中 P2 处的波浪砰击最大值明显大于 P1 处的砰击压力最大值。P2 位置处呈现很强的非线性特征,产生这种现象的原因与点的空间位置有一定的关系。该点位于撑杆垂直位置处。第一段表现为波浪瞬时的正面砰击,第二段表现为瞬时砰击结束后,波浪的脉动水压力。图 8.22 (c)为立柱上较低点 P5 处的波浪砰击压力。从图中可以看出,波陡大于 0.2 的均可以发生波浪砰击,一旦波陡小于 0.1 波浪就不会爬升。因此,波浪砰击现象并不是很强烈。其波浪砰击压力值也随着波浪周期呈现周期性的变化,并存在一定的相位差。因此撑杆和立柱等半潜式海洋平台的结构物对大波高、小周期的波浪砰击更加敏感。因此,大波陡的波浪与浮式结构物发生砰击的时候会发生强烈的波浪砰击。

(a)拖航开始　　　　　　　　　　　　(b)拖航过程中

图 8.20　实际拖航状态

图 8.21　半潜式平台拖航试验关注点

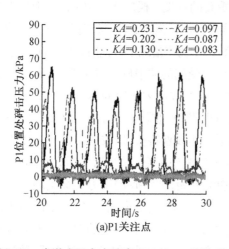 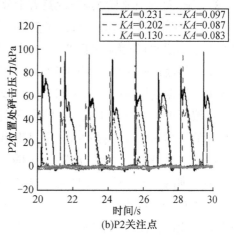

(a)P1关注点　　　　　　　　　　　　(b)P2关注点

图 8.22　半潜式平台在波高 $H=10$ m、航速 $V=2$ m/s 的工况下受到的波浪砰击压力时程曲线

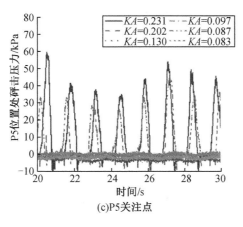

(c)P5关注点

图 8.22(续)

8.4.2 不同拖航速度下的砰击压力结果及分析

拖航速度的变化会影响结构物受到的波浪砰击压力。撑杆的布置位置较低,受到海洋平台较大的总体张力作用,其在波浪砰击过程中受到较大的砰击力。因此,作为对砰击压力影响非常重要的拖航速度必须加以考虑。本节所选工况为 $H = 14$ m、$T = 13$ s。不同拖航速度下 P1 和 P2 处受到的波浪砰击压力时程曲线如图 8.23 所示。从图中可以清晰地看到,随着拖航速度的增加波浪砰击 P1 处呈现逐步增加的趋势。P2 处的砰击压力在 $V = 1.5$ m/s 时反而小于 $V = 1$ m/s。而图 8.23(a)中航速最大导致的砰击压力比最小航速的砰击压力大 45% 左右。随着拖航速度的增加,对撑杆砰击压力影响最大的位置是 P1 处,也就是撑杆迎浪面处受到的砰击压力变化最为显著。分析原因,大概是拖航速度的变化对平台纵摇和垂荡运动的影响非常明显,数值较大的拖航速度加剧了纵摇和垂荡运动,同具有高能量的波浪发生撞击时,位置更加靠前的 P1 处砰击压力变化明显要大于 P2 处。从图 8.23(a)和(b)中还可以看出,随着拖航速度的增加,P1 处的波浪砰击压力的负压值一般在 10 kPa 左右;不同拖航速度情况下的波浪砰击压力会出现明显的相位差,主要原因是拖航速度的存在导致了平台与水质点速度的不同,进而产生了波浪传递过程中的相位差,最后导致波浪砰击压力的不同。

图 8.24 为不同拖航速度下 P5 和 P6 处受到的波浪砰击压力时程曲线。从图 8.24(a)中可以发现 P5 处,即立柱最下端关注点的砰击压力随着速度的增加呈现出逐渐增大的趋势。P6 处位于立柱中间位置,从图 8.24(b)中可以发现,立柱中线处的最大砰击压力明显小于位置更靠下的 P5 处的波浪砰击压力。并且在拖航速度较小的时候,P6 处未能监测到砰击压力的变化,主要原因是小航速工况下,平台运动颇为缓和,水质点速度也较为缓慢,波浪只能砰击到立柱最下端附近。而当拖航速度过大时,平台运动过于激烈,纵摇角度和垂荡幅度都明显增加,造成了砰击压力的增加。由于波浪砰击不到上甲板前壁端,因此不对其做砰击压力分析。

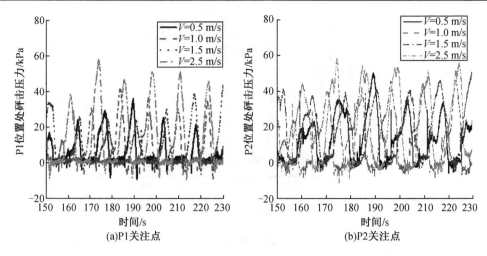

图 8.23　不同拖航速度下 P1 和 P2 处受到的波浪砰击压力时程曲线

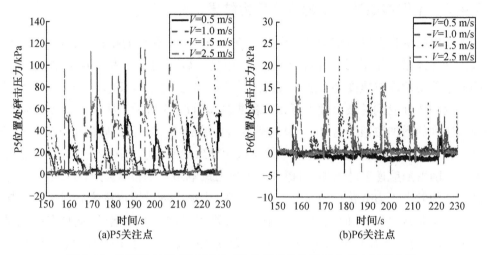

图 8.24　不同拖航速度下 P5 和 P6 处受到的波浪砰击压力时程曲线

8.4.3　平台不同位置处的砰击压力结果及分析

　　半潜式海洋平台在拖航过程中,撑杆、立柱和上甲板前壁端由于位置和高度的不同受到不同程度的波浪砰击。取波浪工况为波高 $H = 9$ m、波周期 $T = 12$ s、拖航速度 $V_t = 2$ m/s 的工况进行测定。撑杆上选择 P1 和 P2 处,立柱位置选择 P4、P5 和 P6 处安装砰击压力传感器。从图 8.25(a)可以发现 P1 处的砰击压力明显小于 P2 处,大约为 40%。图 8.25(b)显示立柱上 P5 处受到最大的波浪砰击。在波陡较小的情况下,平台的运动较为缓和,波浪不足以有较大的能量砰击到位置更上方的 P6 和 P4 处。立柱上的砰击压力竖直分布变化,自下而上呈现逐渐减小的趋势。

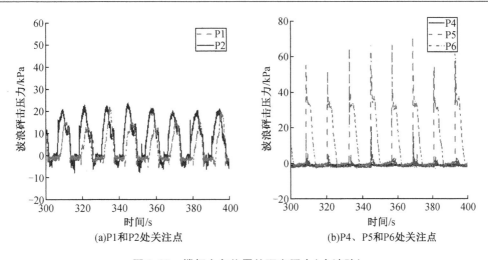

(a)P1和P2处关注点　　　　　　(b)P4、P5和P6处关注点

图 8.25　撑杆上各位置处砰击压力(小波陡)

大波陡情况下的波浪砰击需要进行详细研究,即大波陡情况下(KA 值比小波陡 KA 值大 30%)砰击压力的变化规律。比较两种不同波陡情况下的砰击压力,得到不同海况下撑杆和立柱等砰击压力较为敏感的部位。一般的波浪工况选用波高 $H = 9$ m、波周期 $T = 9.4$ s、航速 $V_t = 2$ m/s 的工况进行测定。关注点的工况选择如上文所选关注点。图 8.26 为平台不同位置砰击压力时程曲线。可以直观观察到在大波陡工况下,砰击压力呈现出明显增加的趋势。分析图 8.26(a)与图 8.25(a)可以看到,撑杆上 P1 处的砰击压力在大波陡的波浪砰击下,峰值相差大约 24 kPa。P2 处的砰击压力在大波陡的波浪砰击下,峰值相差大约 30 kPa。即撑杆最下方与波浪面接触点对波浪砰击最为敏感。图 8.26 (b)中 P5 处的砰击压力则表现得非常敏感,P5 处的波浪砰击压力最大值比 P6 处增大了 3 倍多。立柱最上部分 P4 处也受到了砰击程度很小的波浪周期性作用。

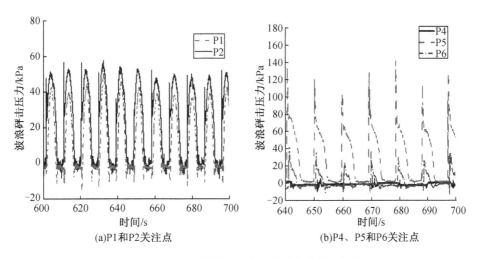

(a)P1和P2关注点　　　　　　(b)P4、P5和P6关注点

图 8.26　平台不同位置处砰击压力时程曲线(大波陡)

8.5　试验结果与数值仿真方法验证

8.5.1　衰减试验结果验证

衡量海洋平台的运动响应的一个最重要方法是在静水中的固有周期。表 8.16 为采用 CFD 方法得出的静水中的三自由度周期和试验结果数值。可以看出静水中的垂荡、横摇和纵摇固有周期的数值模拟和试验测得结果具有良好的一致性,证明了网格设置和研究方法的准确性。另外,图 8.27 给出了平台在倾斜 2° 开始的纵摇衰减试验,并将其数值模拟与试验的误差控制在了 15% 以内。

表 8.16　采用 CFD 方法得出的静水中的三自由度周期和试验结果数值

运动类型	试验周期/s	数值模拟周期/s
垂荡	19.2	19.7
横摇	61.6	61.7
纵摇	50.3	51.9

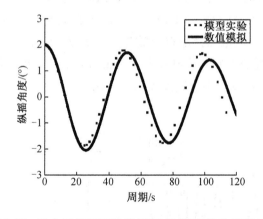

图 8.27　平台倾斜 2° 下的纵摇衰减试验与数值模拟对比

8.5.2　波浪砰击压力结果验证

在本书中对参数影响下的波浪砰击压力特性的研究主要集中在砰击压力的敏感性方面,为了验证数值模拟的准确性,选择一个工况下的撑杆上的波浪砰击压力结果进行对比分析。图 8.28 表示撑杆上的两个不同的关注点。P1(点 1)处的压力传感器沿垂直方向布置,与水平面平行。P2(点 2)处的压力传感器垂直布置,用来安装砰击压力传感器,并选择 $H = 8$ m、$T = 10$ s、$V = 2$ m/s(流速)的工况进行撑杆受到的砰击压力验证。为了验证数值模拟的准确性,选取极点上的两点作为关注点。图 8.29(a)和图 8.29(b)分别表示极点上两个不同的关注点的波浪砰击压力时程曲线。图 8.29（a）反映了 P1 点波浪砰击压力数值模拟结果与试验结果的时程对比,结果表明 P1 点和模型结果与实测数据吻合较好。图 8.29（b）反映了 P2 点波浪砰击压力数值模拟结果与试验结果的时程比较,可以看出数值砰击压力与试验结果有很好的一致性。而 P2 点的周期差值是由于波浪产生的不确定性而略有偏差,以及通过液压波机和水槽中的波衰减现象造成的。

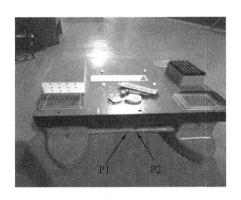

图 8.28　平台撑杆砰击压力传感器的安装位置

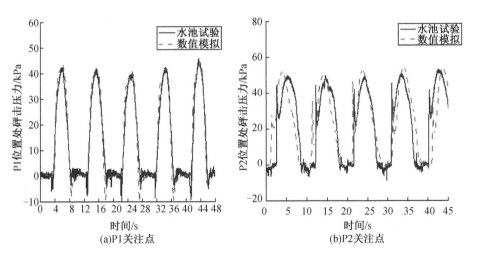

图 8.29　极点上两个不同的关注点的波浪砰击压力时程曲线

8.6　本章小结

第一个试验通过水池试验的方法,利用相似比为 1:100 的半潜式平台与锚泊系统模型,在水深为 1 m 的水池中对该半潜式平台进行了运动响应及砰击压强试验。

通过测量平台在静水中的纵摇和横摇自由衰减周期,并将其与数值试验中的固有周期相比较,两者曲线较为一致,验证了数值模型的准确性。测量了立柱关键位置处砰击压强变化规律,并与数值结果对比发现砰击发生周期、最大值、压强升降趋势等十分相似,且误差在可接受范围内,验证了上文数值方法的可行性。同时观察到不同波浪入射角下负气隙现象,主要出现在上、后立柱迎浪面与甲板箱底部交界处,与数值模拟中出现波浪砰击的位置较为接近,验证了数值计算方法的准确性。

第二个试验介绍了半潜式海洋平台撑杆在拖航工况下的波浪砰击试验方案,较为详细地描述了各种测量仪器的参数和布置情况。还介绍了模型试验的相似比例问题,以及对试验所需工况进行了详细的布置。对试验过程中浪高仪的调试和造波细节进行了详细的描述,按照试验大纲的要求研究了多种海况下的撑杆受到的波浪砰击,并将试验过程中采集的各种数据进行了处理。

试验结果部分主要是研究了半潜式海洋平台在不同的波陡、不同拖航速度和平台不同位置处的工况下进行了一系列的砰击压力敏感性研究。本章得到的撑杆受到的波浪砰击压力规律的结论如下。

(1)波浪陡度(KA)的变化对撑杆的波浪砰击压力会产生显著的影响。随着波浪陡度参数(KA)的减小,撑杆上的砰击压力呈现减小的趋势。由于试验过程中平台运动幅度较大,导致撑杆的水平径向位置比竖直径向位置受到的砰击压力明显小。而立柱部位的波浪砰击主要集中在立柱的最低端,即跟下浮箱接触的部位。这说明在自由状态拖航的情况下,撑杆底部为砰击压力最大位置处。除此之外,撑杆和立柱均出现了负压现象。

(2)拖航速度的变化主要影响撑杆的砰击压力的相位和最大值。随着拖航速度的增加,撑杆的水平径向位置处受到的波浪砰击呈现增大的趋势。而竖直径向位置处在一定程度上呈现减小的趋势。而且立柱位置上也出现了非线性更加明显的波浪砰击压力。

(3)在同一工况下半潜式海洋平台不同位置处受到的波浪砰击压力具有差异性。在大波陡的工况下,撑杆上竖直径向处受到的波浪砰击压力明显大于水平径向处的波浪砰击压力。但是在同一小波陡的工况下两者的砰击压力差值缩小。在同一小波陡工况下,立柱上受到的砰击压力明显小于撑杆上受到的砰击压力。对同一大波陡的工况下,立柱上最低点处受到的砰击压力要比立柱其他几点大很多。这说明在大波陡工况下,立柱最低端的砰击压力变化更加敏感。

(4)对横摇、纵摇和垂荡运动进行了数值模拟,并将模拟数值与模型试验数据进行对比,两者具有较高的一致性,进行了半潜式海洋平台在静水工况下的自由衰减试验与数值模拟对比,具有较高的准确性;对撑杆在拖航条件的波浪砰击压力进行了模拟,得到了撑杆上关键点处的波浪砰击压力变化规律,与试验结果对比达到了良好的一致性,从而验证了数值。

参 考 文 献

[1] 廖谟圣. 2000—2005 年国外深水和超深水钻井采油平台简况与思考[J]. 中国海洋平台, 2006, 21(3): 1-8.

[2] 单连政, 董本京, 刘猛, 等. FPSO 技术现状及发展趋势[J]. 石油矿场机械, 2008, 37(10): 26-30.

[3] 杨建民, 肖龙飞, 盛振邦. 海洋工程水动力学试验研究[M]. 上海: 上海交通大学出版社, 2008.

[4] PEIER C. FPSO Farication Pitfalls in Risk Assignment Execution[J]. Offshore, 2001(7): 21-26.

[5] 王俊荣, 谢彬. 半潜式平台水动力性能及运动响应研究综述[J]. 中国造船, 2009, 50(A11): 255-261.

[6] 王志东, 刘美妍, 凌宏杰, 等. 半潜式平台气隙量数值预报方法研究[J]. 海洋工程, 2015, 33(5): 10-15.

[7] KAZEMI S, INCECIK A. Experimental Study of Air Gap Response and Wave Impact Forces of a Semi-Submersible Drilling Unit[C]// International Conference on Offshore Mechanics & Arctic Engineering, 2006.

[8] SWEETMAN B, WINTERSTEIN S R. Non Gaussian Air-gap Response Models for Floating Structures[J]. Journal of Engineering Mechanics, 2003, 129(3): 302-309.

[9] KAZEMI S, INCECIK A. Experimental Study of Air Gap Response and Wave Impact Forces of a Semi-Submersible Drilling Unit[C]// InternationalConference on Offshore Mechanics & Arctic Engineering, 2006.

[10] SIMOS A N, SPARANO J V, ARANHA J, et al. 2nd Order Hydrodynamic Effects on Resonant Heave, Pitch and Roll Motions of a Large-Volume Semi-Submersible Platform[C]// ASME 2008 27th InternationalConference on Offshore Mechanics and Arctic Engineering, 2008.

[11] IWANOWSKI B, LEFRANC M, WEMMENHOVE R. CFD Simulation of Wave Run-Up on a Semi-Submersible and Comparison With Experiment[C]// ASME 2009 28th International Conference on Ocean, Offshore and Arctic Engineering, 2009.

[12] LI J, HUANG Z, TAN S K. Extreme Air-gap Response Below Deck of Floating Structures[J]. The International Journal of Ocean and Climate Systems, 2010, 1(1): 15-26.

[13] MATSUMOTO F T, WATAI R, SIMOS A N, et al. Wave Run-Up and Air Gap Prediction for a Large-Volume Semi-Submersible Platform[C]// Asme International Conference on Ocean, 2013.

［14］ KIM M S，PARK H S，JUNG K H，et al. Air-gap effect on life boat arrangement for a semi-submersible FPU［J］. International Journal of Naval Architecture and Ocean Engineering，2016，8（5）:487 –495.

［15］ 曾志，杨建民，李欣，等. 半潜式平台气隙数值预报［J］. 海洋工程，2009，27（3）: 14 –22.

［16］ 姜宗玉，崔锦，董刚，等. 不规则波中半潜式平台气隙响应数值研究［J］. 中国海洋平台，2014，29（1）: 13 –19,27.

［17］ HUO F L，NIE Y，YANG D Q，et al. Sensitivity Analysis of Air Gap Motion with Respect to Wind Load and Mooring System for Semi-submersible Platform Design［J］. China Ocean Engineering，2016，30（4）: 535 –546.

［18］ SIMOS A N，SPARANO J V，ARANHA J，et al. 2nd Order Hydrodynamic Effects on Resonant Heave，Pitch and Roll Motions of a Large-Volume Semi-Submersible Platform ［C］//ASME 2008 27th International Conference on Offshore Mechanics and Arctic Engineering，2008.

［19］ LIANG X，YANG J，XIAO L，et al. Numerical Study of Air Gap Response and Wave Impact Load on a Moored Semi-Submersible Platform in Predetermined Irregular Wave Train［C］// Asme International Conference on Ocean，2010.

［20］ WAGNER H. Uber Stass-und Gleitvorgange undder Oberflache von Flussigkeiten［J］. ZAMM，1932，12（4）:193 –215.

［21］ ZHAO R，FALTINSEN O. Water entry of two-dimensional bodies［J］. Journal of Fluid Mechanics，1993，246（ –1）:593 –612.

［22］ ZHAO R，FALTINSEN O，AARSNES J V. Water entry of arbitrary two-dimensional sections with and without flow separation［C］// Proc. 21st Symposium on Naval Hydrodynamic，1997.

［23］ WATANABE I，UENO M，SAWADA H. Effects of bow flare shape to the wave loads of a container ship ［J］. J of the Soc. of Naval Arch. of Japan，1989（166）:259 –266.

［24］ 任冰，王永学. 不规则波对浪溅区结构物冲击作用的试验研究:频域分析［J］. 海洋工程，2003,21（4）:53 –60,74.

［25］ 任冰,王永学. 不规则波对透空式建筑物上部结构冲击作用时域分析［J］. 大连理工大学学报,2003,43（6）:818 –824.

［26］ GODA Y. New Wave Pressure Formulae for Composite Breakwaters［C］//14th International Conference on Coastal Engineering，1974.

［27］ 周益人,陈国平,黄海龙,等. 透空式水平板波浪上托力冲击压强试验研究［J］. 海洋工程，2004，22（3）:30 –40.

［28］ 兰雅梅,郭文华,刘桦,等. 规则波中承台和桩柱水动力的实验研究［J］. 水动力学研究与进展，2010，25（4）:551 –558.

［29］ 马哲. 极端波浪作用下深水半潜式平台砰击与流固耦合效应［D］. 大连:大连理工大学，2014.

[30] ZHAO R, FALTINSEN O. Water entry of 2-dimensional bodies[J]. Journal of Fluid Mechanics,1993(246):593 - 612.

[31] 卢炽华,何友声,王刚.船体砰击问题的非线性边界元分析[J].水动力学研究与发展,1999,14(2):169 - 175.

[32] GEERST L. A boundary-element method for slamming analysis [J]. Journal of Ship Research,1982,26(2):117 - 124.

[33] GREENHOW M. Wedge entry into initially calm water [J]. Applied Ocean Research,1987,9(4):214 - 223.

[34] GREENHOW M. Water-entry and water-exit of a horizontal circular-cylinder [J]. Applied Ocean Research,1988,10(4):191 - 198.

[35] GREENHOW M. A complex variable method for the floating-body boundary-value problem[J]. Journal of Computational and Applied Mathematics, 1993, 46(2):115 - 128.

[36] AUSTIN D I, SCHLUETER R S. A numerical model of wave/breakwater interactions [C]// 18th International Conference on Coastal Engineering, 1982:2079 - 2096.

[37] 杨秋霞.半潜式平台结构砰击响应与强度评估[D].哈尔滨:哈尔滨工程大学, 2018.

[38] 王树义.半潜式平台近场干涉及砰击载荷特性研究[D].镇江:江苏科技大学,2018.

[39] MONAGHAN J, KOS A. Scott Russell's wave generator[J]. Physics of Fluids,2000,12 (3):622 - 630.

[40] LIBERSKY L D, RANDLES P W, CARNEY T C , et al. Recent improvements in SPH modeling of hypervelocity impact[J]. International Journal of Impact Engineering, 1997, 20(6):525 - 532.

[41] RANDLES P W, LIBERSKY L D. Normalized SPH with stress points[J]. International Journal for Numerical Methods in Engineering, 2000,48(10):1445 - 1462.

[42] SHAO S D. Incompressible SPH simulation of water entry of a free - falling object[J]. International Journal for Numerical Methods in Fluids, 2009, 59(1):91 - 115.

[43] 郑坤.基于 SPH 方法的波浪对水平板冲击作用研究[D].大连:大连理工大学, 2010.

[44] SAND S E, HANSEN N E, KLINTING P, et al. Distributions of freak wave heights measured in the North Sea[J]. Applied ocean research, 2004,26(1/2):35 - 48.

[45] STANSELL P. Distributions of extreme wave, crest and trough heights measured in the North Sea [J]. Ocean Engineering, 2005(32): 1015 - 1036.

[46] MITSUYASU. Looking closely at ocean waves: from their birth to death [M]. Tokyo: TERRAPUB, 2009:28 - 32.

[47] 谷家扬,吕海宁,杨建民.畸形波作用下四立柱张力腿平台动力响应研究[J].海洋工程, 2013, 31(5): 25 - 36.

[48] 陈旭东.畸形波的模拟及其与浮式结构物的相互作用分析[D].镇江:江苏科技大学, 2017.

［49］ 邓燕飞，杨建民，李欣，等. 波浪水池中畸形波生成的研究综述［J］. 船舶力学，2016，20(8)：1059－1070.

［50］ 许国春. 畸形波的生成及其对 Truss SPAR 平台运动影响研究［D］. 哈尔滨：哈尔滨工程大学，2016.

［51］ 耿宝磊. 波浪对深海海洋平台作用的时域模拟［D］. 大连：大连理工大学，2010.

［52］ 张文旭，陆超. 畸形波作用下半潜式平台运动响应分析［J］. 造船技术，2016(5)：35－41.

［53］ 刘珍，茅润泽，马小剑，等. 畸形波作用下 JIP Spar 平台波浪力分析［J］. 海洋工程，2015，33(4)：19－27,44.

［54］ 邓燕飞，杨建民，肖龙飞，等. 畸形波作用下半潜平台运动响应研究［J］. 船舶力学，2017，21(3)：284－294.

［55］ 吴晞，韩晓光，李宇辰. 水深对船舶摇荡运动影响的数值方法研究［J］. 交通信息与安全，2013，31(4)：45－48.

［56］ 肖龙飞，杨建民，郭彬. 浅水 FPSO 垂荡和纵摇运动的低频响应［J］. 舰船科学技术，2009，31(11)：120－124.

［57］ BITNER-GREGERSEN E M. Joint Probabilistic Description for Combined Seas［C］// ASME 2005 24th International Conference on Offshore Mechanics and Arctic Engineering，2005.

［58］ WINTERSTEIN S R，UDE T C，CORNELL C A，et al. Environmental parameters forextreme response：inverse FORM with omission factors［C］// ICOSSAR-93，1993.